비밀번호 2366

비밀번호 2366

발　행 | 2024년 1월 5일
저　자 | 2023학년도 인천송명초 육육이들
엮은이 | 엄월영
펴낸이 | 한건희
펴낸곳 | 주식회사 부크크
출판사등록 | 2014.07.15.(제2014-16호)
주　소 | 서울특별시 금천구 가산디지털1로 119 SK트윈타워 A동 305호
전　화 | 1670-8316
이메일 | info@bookk.co.kr

ISBN | 979-11-410-6461-7

www.bookk.co.kr

비밀번호 2366

2023학년도 인천송명초 육육이들 지음

CONTENT

엮은이의 말

2023년 3월 2일. 우리는 송명초등학교 6학년 6반이라는 울타리에서 만나 1년이라는 시간을 함께 공유한 교육공동체입니다.

우리는 수업 시작 전 아침, 총 9권의 책을 함께 읽으며 주인공들의 연애 이야기에 까르르 웃기도 하고, 슬픈 가족 이야기에 마음 아파하고, 친구 간의 우정 이야기에 나의 주변 친구들을 떠올려보기도 하였습니다.

그렇게 함께한 책 여행. 이제는 친구들이 쓴 독서감상문들로 아름다웠던 이 여행의 마침표를 찍으려 합니다. 그동안 선생님과 함께 한 책읽기에 즐겁게, 또한 진지하게 참여해 준 28명의 친구들에게 진심으로 고맙다는 말을 전하고 싶습니다.

이제 중학교라는 새로운 출발선에 선 친구들. 이제 중학생이 되어 지금보다 더 책 읽을 여유가 없더라도 선생님은 여러분이 책을 가까이에 두고 함께 했으면 좋겠습니다. 책을 읽으며 우리는 다른 이들의 다양한 삶의 모습을 경험하게 됩니다. 이를 통해 우리는 현재 나에게 주어진 삶에 감사하고 기쁨을 충만하게 느끼며 시련과 좌절은 단단하게 견뎌 나가는 힘을 얻습니다.

우리가 쓴 글이 하나로 모여 책이 되었습니다. 색다른 이 경험이 여러분의 인생에 작게나마 자양분이 되길 응원합니다.

우리 육육이들, 고맙습니다. 사랑합니다.

또 다른 나의 손길
몬스터 차일드

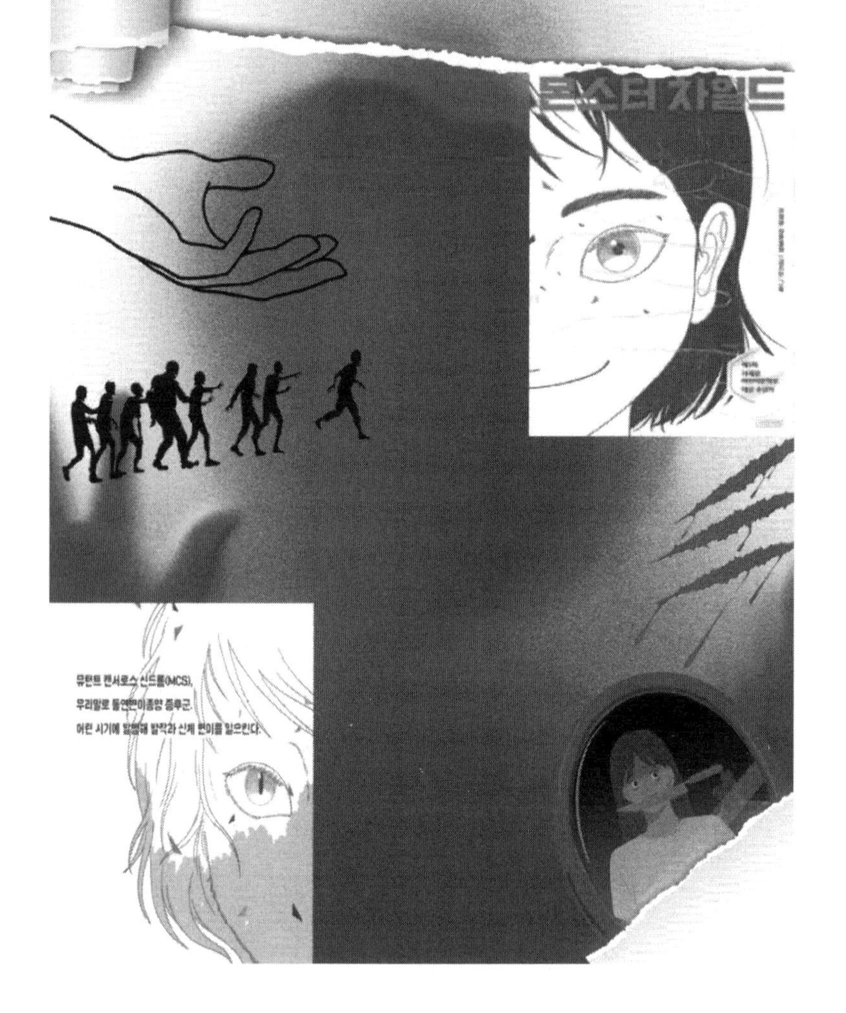

무언가 평범하지 않은 13살 하니와 그녀의 동생 산들이. 그들은 m.c.s 라는 병을 가지고 있다. 그래서 사람들에게 눈치총을 받으며 시골에 있는 학교로 전학 가게 된다.
그러나 순탄하게 흘러갈 줄만 알았던 하니와 산들이의 학교 생활은 한 친구를 만나며 깨지게 된다. 그 친구의 이름은 바로 연우. 연우도 동생 승아와 함께 하니, 산들이 처럼 m.c.s를 갖고 있다.
하지만 그들은 서로 의지하고, 곁에서 힘이 되어주는 존재가 된다.
과연 어떤 일이 일어난 걸까?

평범하지 않은 자신의 아름다움

김대현

몬스터 차일드는 하늬가 M.C.S라서 시골로 이사를 오고 거기서 같은 M.C.S인 연우를 만나서 친하게 지낸다. 중간에 산들이와 승아가 과수원에서 난동을 부려서 경찰서에 연우와 갇힌다. 그래서 하늬가 구하고 하늬가 M.C.S인 걸 당당하게 밝히고 산다.

이 중에서 인상 깊었던 장면은 하늬가 처음으로 완전한 M.C.S로 변하는 장면이다. 또 다른 나를 완벽하게 만나는 장면이기 때문이다.

하늬에게 M.C.S가 자신의 또 다른 자아이기 때문에 숨기지 않고 계속해서 당당하게 지냈으면 좋겠다고 말해 주고 싶다.

이 책을 읽고 든 생각은 앞으로는 나도 비밀을 숨기지 않고 나에 대해서 많이 알아봐야겠다.

몬스터 차일드

백찬규

이 책의 주인공의 이름은 오하늬이다. 이 책 속 배경과 장소는 어느 한 시골이다. 하늬와 하늬의 동생 오산들은 M.C.S라는 병이 있는데 그것은 자신이 다른 모습으로 변이하는 병이다. 또한, 하늬와 산들이는 연우와 연우의 동생인 승하와 친해진다. 산들이와 승하가 난동을 피워서 도망가다 덫에 걸려 연우와 소장님이 대신 끌려갔다. 그런데 하늬가 도와줘서 탈출하고, 괴물이 되는 것을 숨기지 않고 살아가는 내용이다.

틈새 속의 우정

박도현

줄거리는 주인공 하늬랑 하늬의 동생 산들이가 시골로 내려와서 학교와 M.C.S 훈련소를 다니다가 같은 반 친구 연우를 만나 M.C.S를 받아들이게 된 이야기이다. 그런데 산들이와 승아가 난동을 피워 경찰에 잡혀가서 하늬가 구하러 가게 된다.

책을 읽고 느낀 점은 나와 다르다고 차별을 하지 말아야 한다는 메시지를 전하고 있는 것 같다.

몬스터 차일드

이태현

몬스터 차일드는 M.C.S라는 자신만의 다른 존재를 가지고 있고, 하늬와 연우, 산들이가 M.C.S를 가지고 있다. 하늬는 도시에서 벗어나 시골 학교로 전학을 온다. 그런데 그곳에서 M.C.S 자립 훈련소도 다니며 M.C.S를 숨기고 살아왔다. 그런데 학교에 자신과 비슷한 처지의 연우를 보게 된다. 연우는 M.C.S를 숨기며 살아온 인물이다. 하늬는 그런 연우와 친해진다. 그런데 어느 날 하늬의 동생 산들이와 연우의 동생 승아가 놀다가 사고를 쳐 연우가 잡혀간다. 하늬는 연우를 도와주려 경찰서에 가서 연우와 소장님, 승아를 구하고 끝나는 이야기다.

이 글에서 가장 인상 깊었던 장면은 하늬가 동생 산들이 에게 “M.C.S는 괴물이 아니라 너의 모습이야”라는 말을 한 것이 이 책을 쓴 작가의 생각과 마음 같았다.

나는 하늬에게 M.C.S를 숨기지 않고 당당한 자신의 모습을 보여준 장면이 정말 좋았고 더 진실적인 너의 모습을 찾기 바란다고 말해주고 싶다. 이 책은 흥미롭고 작가의 생각이 뚜렷하게 나와서 재미있었다.

몬스터 차일드

윤준호

이 이야기는 M.C.S라는 병에 걸린 하늬의 이야기로, 병을 치료하는 것이 아니고 병도 아닌 그저 나의 또 다른 모습일 뿐 괴물이 아니라는 것을 주장하는 이야기이다.

주인공 하늬가 처음 변이를 했을 때가 가장 인상 깊었고 나도 나 자신을 미워한 적이 있었는데 하늬가 변이를 한 모습을 싫어하는 것과 비슷했었던 것 같다.

이 책을 읽으면서 느낀 점은 내 안에 다른 존재가 있어도 있는 것만으로도 사랑해야겠다고 생각했다.

또 다른 나 자신

한태호

이 책의 줄거리는 M.C.S라는 괴물의 모습으로 변하는 증후군이 있었는데, 이를 겪고 있는 하늬와 산들이는 M.C.S라는 이유만으로 따돌림을 받아 시골로 전학을 오게 된다. 하늬와 산들이는 그곳에서 M.C.S를 숨기지 않는 연우를 만나게 되고 연우와 친해지면서 점차 제2의 나 자신인 M.C.S와 친해지는 이야기이다.

나는 이 책에서 하늬가 자신의 M.C.S와 대화하는 장면이 가장 인상 깊었다. 또 다른 나와 이야기를 한다는 점이 신기했기 때문이다.

만약 내가 이 책의 뒷이야기를 상상해 본다면, 하늬가 M.C.S를 숨기지 않고 당당하게 학교에 나오고 아이들은 처음엔 하늬를 꺼려했지만 하늬의 좋은 성격 덕분인지 점차 M.C.S의 인식이 좋아지며 이야기가 끝날 것 같다.

나는 이 책을 읽고 나에 대한 모든 것에 자신감을 갖고 살아가야겠다고 생각했다.

최고의 스릴 판타지 소설!

김재인

몬스터 차일드는 선생님께서 아침 활동 시간에 읽어주셔서 접하게 되었습니다.

줄거리는 하늬라는 아이가 M.C.S 증후군을 가지고 있는 상황에 복잡한 도시에서 시골로 전학을 갔는데, 거기서 연우라는 자신과 같은 M.C.S 증후군을 가지고 있는 아이를 만나서 친해지면서 둘의 우정을 꾸려나가는 이야기입니다.

인상 깊었던 장면은 하늬가 처음으로 변이를 했을 때입니다. 하늬가 변이했을 때 자신의 모습을 숨기지 않고, 당당하게 보여주는 하늬의 모습이 멋져서, 이 장면이 가장 인상 깊었습니다.

주인공 하늬에게 해주고 싶은 말은 앞으로도 자신의 변이 했을 때 모습을 숨기지 말고 변이했을 때 모습은 하늬 안에 있는 또 다른 하늬의 모습이니 부끄러워하지 말라고 말해주고 싶네요!

저도 앞으로 저의 부족한 점을 숨기려 하지 않고 싶어요.

{제가 스릴, 판타지 소설을 좋아하는데, 딱 제가 좋아하는 장로에 책을 선생님께서 읽어 주셔서, 너무 좋았습니다!!}

몬스터 차일드

박소민

이번에 선생님을 통해 같이 읽게 된 몬스터 차일드는 이재문 작가님께서 지으신 이야기이다.

이 책은 내가 위험할 때 나 안의 또 다른 '나'가 나오는 증후군, M.C.S를 가지고 있는 하늬가 M.C.S를 숨기고 싫어했지만, 연우, 소장님에 의해 M.C.S를 받아들이고 또 다른 '나'와 친해지면서 동생인 산들이 에게도 그 경험을 할 수 있게 도와주는 이야기이다. 한편으로 모험 같기도, 한편으로 '어떤 모습이든 나를 사랑하자.'라는 교훈을 담은 이야기 같다.

특히 하늬가 산들이에게 완전히 변이한 모습을 보여주려고 할 때, '사실 난 널 싫어했다. 하지만 지금은 아니다.'라고 할 때 나도 어떤 모습이든 나를 사랑해야겠다고 생각했다.

내가 특정한 것을 못 할 때 나에게 짜증을 내고, 뭐를 잘했으면 좋겠다, 난 왜 이렇게 못하지? 라고 생각했는데 이 책을 읽고 생각이 바뀐 것 같다. 교훈을 주는 책은 오랜만에 읽는데, 앞으로 이런 책들을 많이 읽고 진정한 나를 사랑하고, 만들어봐야겠다!

I LOVE ME

신서윤

주인공인 오하늬는 M.C.S 증후군을 가지고 있다. M.C.S는 사람들에게 좋지 않은 시선을 받았지만, 친구인 연우를 만나고 나서부턴 자신의 다른 인격체인 M.C.S를 사랑하고, 삶을 살아가는 이야기이다.

내 생각에 가장 기억나는 장면은 연우와 하늬가 같이 나무에 걸터앉아 서로 얘기를 나누는 장면이다. 이때 서로에게 감추고 싶은 점을 솔직하게 털어놓고, 공감해 주는 점이 마음에 들었다.

주인공인 하늬에게 하고 싶은 말은 “너라는 사람은 존중받아야 할 가치가 있는 소중한 사람이야. 남이 뭐래도 신경을 쓰지 말고 네 방식대로 살아가!”라는 말을 전해주고 싶다.

나 자신을 사랑할 수 있는 사람은 대단한 사람인 것 같다. 언뜻 보면 쉬운 것으로 보이지만 자신감 있고 당당하게 살아갈 수 있다는 것은 어려운 것을 알기에 더 대단한 것인 것 같다. 그러니 이제부터라도 사람들이 날 아무리 안 좋은 시선으로 봐도 자신감 있게 살 것이다.

또 내가 하고 싶은 다른 일은 잠시 스쳐 가는 사람일지라도 기억에 오래 남을만한 가치가 있는 그런 좋은 친구를 사귀고 싶다.

몬스터 차일드

유아린

주인공인 하늬는 M.C.S 때문에 도시에서 시골로 이사를 왔다. 새로 전학 간 학교에서 MCS를 숨기지 않는 연우와 친해진다. M.C.S자립 훈련소 소장님과 연우의 동생 승아, 하늬의 동생 산들이와 같이 훈련하지만, 사람들에게 M.C.S라는 이유로 소장님, 승아, 연우가 경찰에 잡혀간걸 하늬가 구해주었고 같이 도망쳤다.

나는 하늬가 처음 M.C.S 때문에 변이한 것이 인상 깊었다.

나는 하늬가 이제는 M.C.S인 것을 숨기지 않고 당당히 밝히는 것이 대단하다고 생각했다. 자신의 비밀을 당당히 밝히는 것이 쉽지 않았겠지만, 비밀을 숨기지 않는 하늬의 용감한 행동이 멋졌다. 나도 하늬처럼 또 다른 내가 마음속에 숨어있다고 생각한다.

사람마다 저마다의 다른 모습이 있다. 우리는 타인의 또 다른 모습을 조롱하지 말고, 존중해 주어야 한다.

내 안의 '또 다른 나'와의 성장

정수빈

이 책에서 "하늬", "연우", "산들이", "승아"는 '또 다른 나'임을 나타내는 몬스터 차일드 증후군을 가지고 있다.

그들은 몬스터 차일드 증후군 때문에 사람들에게 눈치를 받는다. 하지만 그들은 '또 다른 나'와 친해지며 위험할 때마다 '또 다른 나'가 자신을 지켜주면서 이야기가 진행된다.

나는 처음에 하늬가 억제제를 먹으며 말 그대로 '또 다른 나'를 지키기 위해 자신을 억지로 제압하려던 과거의 습관을 연우 덕분에 자유롭게 자신을 지킬 수 있는 장점으로 변화시킬 수 있게 된 부분이 매우 인상 깊었다.

또한, 이 이야기에 나온 주인공 모두에게 '또 다른 나'와 친해지고 어려운 일이 있을 때마다 그 '또 다른 나'를 부를 수 있는 능력은 정말 대단한 장점이라고 말하고 싶다.

마지막으로, 이 책을 읽으며 책의 주인공들처럼, 내 안의 '또 다른 나'와 친해져서 어려운 일이 있을 때마다 나를 도와줄 수 있을까? 라는 의문이 들었다. 만약 나에게도 그러한 일이 일어난다면 얼마나 멋질까 하는 상상을 해보았다.

몬스터 차일드

김도희

이 책의 내용은 하늬가 mcs 인데 그 사실을 숨기려고 시골에 있는 학교로 전학을 왔는데, 그 학교에서 mcs에 걸린 학생을 만나서 그 친구랑 같이 친해지는 이야기다. 그리고 인상 깊었던 장면은 연우와 하늬가 연우의 아지트에서 둘이 노는 장면이다. 왜냐면 연우가 하늬의 변이를 도와주었고, 하늬는 또 다른 자신을 처음으로 되기 때문이다. 그리고 뒷이야기를 상상하자면, 연우의 엄마가 생기게 되고, 하늬와 연우가 사이좋은 친구로 지낼 것 같다. 그리고 이 책을 읽고 느낀 점은 하늬처럼 그냥 내 모습을 당당하게 보여주면서 살아야겠다고 생각했다.

몬스터 차일드

정이현

몬스터 차일드는 걸리면 괴물로 변하는 병에 걸린 주인공 하늬가 시골 마을로 이사 오면서 괴물로 변하지 않는 약물을 끊고 나 자신을 괴물이라 하지 않고 나를 자랑스럽게 여기는 내용이다.

이 책을 읽고 가장 인상 깊었던 장면은 하늬가 내 안에 있는 괴물을 꺼내는 장면이다. 이 책에서 느낀 점은 나를 무시하지 말고 나를 자랑스럽게 여기자고 생각했다.

◎ 모두에게는 자신만이 가지는 장단점이 다 있습니다. 여러분이 생각하는 장점과 단점은 무엇인가요?

김대현	나의 장점은 컴퓨터를 잘한다는 것이고, 나의 단점은 손재주가 없어서 바느질 같은 것을 못한다는 것이다.
노지민	장점:차분하다. 단점:손재주가 없다.
박도현	장점은 키가 크다 단점은 가끔씩 급발진한다.
백승범	나의 단점은 키가 좀 작고 글씨를 못쓴다. 나의 장점은 달리기를 잘한다.
백찬규	나의 장점은 친근하고 재미있다 나의 단점은 장난이 좀 심하고 장난을 받아주긴 하는데 자기 마음대로 한다
송준엽	나의 장점은 인내심이 있다는 거고 단점은 좀 시끄럽다.
윤준호	나의 장점: 혼자서 잘 노는 것 나의 단점: 말을 험하게 한다.
이승진	장점:키가 크고 운동을 잘한다. 왼손 왼발잡이이고 달리기가 빠르다. 그리고 재미있고 착하다. 단점:오른손 오른발을 잘 못 쓰는 것이 단점이고 가끔씩 정신을 못 차릴 때가 있다.
이태현	나의 장점은 키가 크고 덩치가 커서 운동을 잘한다. 반대로 단점은 잘못을 인정 못한다.
정유민	나의 장점은 과학이나 세계지리를 잘 안다는 것이고, 단점은 고민을 너무 많은 것이다.

정이현	장점 순발력이 빠르다 단점 헛소리를 한다
한도율	장점; 활발하다 단점; 성격 급함
한태호	나의 장점은 귀가 좋다. 멀리서 말한 얘기도 잘 들을 수 있다. 나의 단점은 손재주가 없다. 그래서 손으로 만드는 놀이를 잘 못한다.
강라희	나의 장점은 밝고 긍정적인 것이고, 나의 단점은 차분하지 못한것이다.
김도희	장점은 수영을 잘한다 단점은 공부를 못하고 소리를 잘 지른다.
김여경	나의 장점은 글씨를 예쁘게 쓴다는 것이고 나의 단점은 모든 일에 끈기 있게 행동하지 않는다는 것이다.
김재인	장점:발랄하다 단점:발랄하다
김주은	나의 장점은 누군가를 잘 따라한다. 나의 단점은 많이 다치고 즉흥적이다.
박소민	장점 : 특별하게 잘하는 것도 없고 특별하게 못하는 것도 없다. 단점 : 특별하게 잘하는 것도 없고 특별하게 못하는 것도 없다.
신민아	나의 장점은 섬세하고 감성적이라는 것이다. 하지만 나는 자주 부정적이고 남에게 짜증을 내거나 기분을 상하게 하는 일이 많다.
신서윤	나의 장점은 하나에 푹 빠지면 집중을 잘 한다는 것이고, 단점은 사소한 나쁜 습관이 많다는 것이다.

신유이	나의 장점- 그림 노래 단점- 화를 참지 못한다.
유아린	장점: 손재주가 좋다 단점: 나댄다
이지우	나의 장점은 손재주가 좋다. 그리고 단점은 남자애들에게 장난을 많이 치고 소리를 많이 지른다는 것이다.
정수빈	나의 장점은 어떤 일이든 바로 포기하지 않고 끝까지 노력해 보는 것이다. 하지만 나의 단점은 자존감이 별로 없는 것 같다.
천유림	나는 웃음이 많고 절대 방전되지 않는 에너지를 갖고 있으며 글쓰기와 음악에 소질이 있는 것 같다. 하지만 반대로 웃음과 말이 너무 많고 글씨가 많이 이상하다.
최윤서	장점: 끈기가 있다. 단점: 성격이 많이 급하다.
홍채현	나의 장점은 친구들과 놀면서 욕을 안 쓰는 것 이다. 나의 단점은 멍을 자주 때린다.

봉주와 토시의
봉주르 뚜르

봉주르 뚜르 줄거리

봉주가 아버지의 일 때문에 프랑스에 있는뚜르에 왔다. 이사 온 집의 봉주 방에서 사랑하는 나의 가족, 사랑하는 나의 조국, 살아야 한다. 라고 적혀있었다. 그 집에 살던 아이가 같은 반 일본인 아이 토시라는 걸 알게 되는데..........

봉주와 토시, 그리고 우정의 낙서

정수빈

이 책에서는 한국에서 온 아이 봉주와 일본 국적을 가지고 있는 조선민주주의 공화국의 아이 토시가 '뚜르'라는 프랑스의 작은 도시에서 일어나는 일을 다룬 책이다. 봉주가 '사랑하는 나의 조국, 사랑하는 나의 가족, 살아야 한다.'라는 낙서를 보게 된 후, 그 낙서의 주인을 찾는 과정에서 일어나는 일들을 담고 있다.

나는 이 책에서 밤에 봉주와 토시가 함께 놀았던 장면이 가장 인상 깊었다. 아무래도 토시는 조선민주주의 공화국에서 왔기 때문에 다른 친구들과는 친해질 수 없어, 토시와 봉주가 친해질지 의문이었지만, 토시가 봉주를 믿어주고, 함께 친해지며 달리기도 하고, 뛰어노는 것이 인상 깊었던 것 같다.

또한 이 뒷이야기에서는 봉주와 토시가 다시 만날 것 같진 않지만, 토시와 봉주가 또 다른 친구를 만나 또 다른 인연을 이어갈 것 같다.

토시에게 봉주와 인연을 이어가는 모습이 정말 보기 좋았고, 어렵겠지만 앞으로도 봉주와 계속해서 인연을 이어가면 좋겠다고 말해주고 싶다.

끝으로, 이 책을 읽으며 친구와의 우정을 더 돈독하게 다져야겠다는 생각이 들었다.

언어의 비밀과 친구의 은밀한 모습

박도현

줄거리는 봉주가 프랑스 뚜르 라는 곳에 이사를 와서 집 책상에 한국어로 쓰여 있는 글씨를 찾아서 그 글씨를 쓴 사람을 찾으면서 같은 반 토시라는 친구를 의심했는데 토시는 실제로 북한 사람이었다.

인상 깊었던 장면은 카메라를 주는 장면이다. 이유는 카메라를 줬는데 화내서 의심을 푸는 장면이 기억에 남았었다.

뒷이야기는 토시가 이사 간 이후 봉주는 집에 비밀도 풀었으니까 평범하게 학교생활을 했을 것 같다.

읽고 난 후 느낌은 나는 이 책을 알고 난 후 나는 나한테 잘해주는 친구의 소중함이 크다는 걸 느꼈다.

솔직한 우정

최윤서

이 책은 아빠의 일 때문에 프랑스 뚜르로 이사를 온 봉주와 북한 탈북인인 토시가 뚜르에서 만나 친구가 되어 여러 가지 미스터리를 풀어가는 것에 대한 이야기이다.

나는 이 책에서 토시가 그러지 않아도 되는데 굳이 봉주를 찾아가 그 자신은 탈북인이고 자신이 한국인이라고 솔직하게 고백하는 부분이 가장 인상깊었다. 그가 자신이 누군지에 대해 있지 않으려고 노력을 하고 그가 누군지 솔직하게 말하는 부분이 멋지다고 생각했기 때문이다. 토시는 이런 솔직한 모습을 보니 나중에 커서도 솔직하고 바람직한 모습으로 살아갈 것 같다. 그리고 나는 봉주에게 토시가 떠난 이유를 다 자신에게 돌리지 말라고 말해주고 싶다. 봉주는 토시를 도우려고 한 것 뿐이기 때문이다.

이 책을 읽고 봉주가 끝까지 토시에게 그랬던 것처럼 북한인이라고, 탈북인이라고, 차별하면 안 되겠다는 생각을 했다. 또, 내가 봉주처럼 해외로 가서 살아보면 어떨까 생각을 한 번 해보기도 했다.

봉주르 뚜르

이태현

이 책은 봉주라는 아이가 파리에서 작은 도시 뚜르에 라는 곳에 이사를 갔는데 일본인 친구가 북한 사람이라는 것을 알고 친구가 되었지만 마지막에 토시가 이사를 간다.

이 책의 인상 깊은 내용은 수업 시간에 봉주가 북한에 대해서 말하는 상황에서 토시가 북한에 대한 편견에 따지는 모습이다. 그 이유는 나도 북한에 대한 편견을 가지고 있었는데 토시가 따지는 모습이 나를 반성하게 했다. 내 생각에 뒷이야기는 봉주가 한국으로 돌아갈 때 공황에서 토시와 전화번호도 교환하고 같이 밥을 먹고 헤어지고 가끔씩 연락을 하는 사이가 되어 서로 커서 만날 거 같다.

내가 봉주에게 하고 싶은 말은 “봉주야 토시가 북한 사람이라는 것이 놀랐지? 그래도 나였으면 북한에 대한 편견 때문에 친해지지 못할거 같은데 너는 친하게 지내는 것 같아서 놀라웠어. 앞으로도 도시와 연락을 주고 받으면 좋겠다”. 읽고 난 후 북한에 대한 편견이 덜하고 토시가 자신의 신분을 숨기며 돌아다니는 것이 불쌍했다. 이 책을 읽고 깨달은 것은 북한에 대한 편견을 버리고 앞으로 내 일상에서 북한 사람을 만날 수도 있을거 같아서 나의 생각을 고칠 필요가 있는 것 같다.

우리는 함께 이어진 이야기

강라희

나는 봉주르 뚜르를 선생님께서 읽어주셔서 읽게 되었다. 봉주르 뚜르는 봉주가 새로 이사 온 집 책상 밑에 '사랑하는 우리 조국, 사랑하는 나의 가족, 살아야 한다'라고 쓰여있는 것을 보고, 누가 썼는지 알기 위해 이야기가 시작된다. 봉주는 원래 집에 살던 토시의 외삼촌이 썼다는 것을 알게 되었다. 토시는 북한에 살던 탈북민이었고, 봉주에게 자신의 정체를 알려주고 뚜르를 떠나는 이야기이다.

내가 가장 인상 깊었던 것은 토시가 자신이 탈북민이라고 말하는 장면이다. 왜냐하면 토시가 밤에 봉주를 불러내어 자신의 정체를 말려주는 것이 멋있었기 때문이다. 토시와 봉주가 헤어지고 뒤에 토시가 봉주를 다시 찾아와, 봉주네 집에서 봉주와 토시가 같이 살고, 진짜 친한 친구가 되는 이야기를 생각해 보았다.

나는 예전에 미국에 가서 굉장히 적응하기 어려웠던 기억이 있는데, 친구들이 친절하게 대해주어서, 잘 적응한 기억이 있었다. 이 책을 읽으면서, 봉주와 토시도 프랑스에서 적응을 어떻게 했는지 궁금하다.

봉주르 뚜르

김재인

오늘 학교에서 봉주르 뚜르 책을 다 읽었습니다.

선생님께서 재밌게 읽어주시니, 뒤에 토시는 잘 지내고 있나, 정말 궁금합니다. 이 책은 선생님께서 읽어주셔서 접하게 되었는데요. 최근에 추리소설에 접하지 않고 만화책이나 판타지 책 같은 저의 관심사와 같은 책만 읽고 있었는데 제가 별로 좋아하지 않는 장르인 추리소설을 읽어주셔서 처음에는 별로일 줄 알았는데, 줄거리를 읽어보니 내용이 정말 흥미진진해서 추리소설에도 관심이 생긴 것 같아요.

줄거리는 봉주라는 주인공 친구가, 프랑스 파리에서 뚜르로 전학을 왔는데, 집에서 수상한 낙서를 발견하고, 그 낙서의 주인을 찾아가면서 토시라는 친구를 만나 그 친구가 낙서에 주인공인 걸 알고, 마지막에 헤어집니다.

이 과정에서 인상 깊었던 장면은, 마지막에 공원에서 봉주가 토시에게 카메라를 선물해 주는 장면이 가장 인상 깊었습니다. 이 이야기는 북한의 탈북인이 나쁘지만은 않고, 북한은 나쁜 나라가 전혀 아니고, 돈 없고 가난한 나라라는 고정관념을 깨주는 이야기 같아요. 둘이 성인이 되어서 마지막에 만날 가능성도 있다고 생각합니다.

뚜르에서의 이야기

홍채현

한윤섭 작가의 봉주르 뚜르를 선생님의 추천으로 읽게 되었다.

남한에서 뚜르로 이사 온 봉주, 봉주의 집에는 안중근의 모습이 생각나는 글이 적혀있고 그 집에는 우리반에 있는 일본인 토시가 살았다는 이야기이다. 이 책에서 인상 깊었던 장면은 마지막에 토시가 봉주에게"친구라고 해줘서 고마워"라고 편지를 보낸 게 제일 인상 깊었다. 내 생각엔 토시가 다시 봉주를 보고 싶어 뚜르에 돌아와서 탈북자라는 차별 없이 잘 살 것 같다.

나는 봉주에게 차별 없이 친구를 해주는 너의 모습이 너무 멋지다고 라고 말 하고 싶다.

이 책을 읽고 든 생각은 비밀을 털어놓을 수 있을 만큼 믿는 친구를 찾고 싶었다.

스치면 인연

신서윤

선생님께서 아침마다 읽어주셔서 봉주르 뚜르를 접하게 되었다. 파리에서 살던 봉주가 뚜르로 전학을 가며 북한에서 태어난 일본인 토시를 만나게 된다. 집에 있는 책상에는 '사랑하는 나의 조국 사랑하는 나의 가족 살아야 한다'라고 쓰여 있다. 봉주는 이 글을 쓴 사람을 찾게 되는 이야기이다.

나는 봉주가 학교에서 한국에 대해서 발표하며 북한에 대해 토시와 잠시 말싸움을 했던 것이 기억에 남는다. 이유는 자신의 조국에 대해 얘기하는 것이 인상적이기 때문이다. 우리나라 사람들은 북한을 안 좋게 생각하니 그 나라에서 살았던 토시 같은 사람들은 속상하고, 화가 나는 게 어쩌면 당연하다고 생각된다. 봉주와 뚜르는 비록 잠시 만나고 헤어진 사람일지라도 그 잠시 동안 서로를 이해하고, 배려해 주는 좋은 친구인 것 같다.

나도 잠시 스쳐 간 사람일지라도 기억에 오래 남을만한 가치가 있는 그런 좋은 친구를 사귀고 싶다.

봉주르 뚜르

이승진

"봉주와 토시"는 서로 다른 국적에서 온 두 주인공이 우연히 반이 되어 친해지며 전하는 따뜻한 이야기를 담은 책이다.

특히 토시가 봉주에게 자신의 과거를 말하고 떠나는 부분에서 감동을 받았다. 그리고 그 뒤에 토시와 삼촌이 봉주를 위해 위험에 처한 순간에 도움을 주러 와서 인상 깊었다. 별로 친하지 않았던 친구가 위험한 순간에 도움을 주러 오는 모습은 진정한 우정과 도움에 대한 의미를 강조한 것 같았다.

봉주가 토시에게 이별을 맞이하고 일본에 가서 토시를 다시 만날 것으로 예상된다는 내용은 마음을 울린다. 친구가 떠난 후에도 봉주가 그를 찾아가기로 마음먹은 모습은 친구 간의 연결과 소중함을 강조한다.

나는 봉주에게 힘을 내라고 전하고 싶다. 이별은 언젠가는 찾아오지만, 그에게 힘을 주고 다시 만나기 위해 노력하는 모습이 참으로 따뜻하다.

이 책을 통해 나는 다른 국적의 친구와도 친하게 지내면서 서로를 이해하고 존중해야 한다는 생각을 하게 되었다. 언어나 문화의 차이가 있더라도 진실된 우정은 그것을 넘어설 수 있다는 것을 느꼈다. 이 책은 서로 다른 배경을 가진 친구들 간의 소중한 연결과 이해의 중요성을 알려주는 좋은 이야기였다.

국경을 넘은 우정

김대현

봉주는 뚜르라는 작은 도시에 와서 집에 있는 한국 글씨를 보고 글씨 주인을 찾아가는데 학교에서 토시라는 일본인을 만난다. 봉주는 자신의 집에서 일본인이 살았다는 걸 알게 되고 그 집에서 토시가 살았다는 걸 알게 된다. 토시는 봉주에게 자신이 북한인이라는 것을 알려주고 토시는 뚜르를 떠난다.

중간에 봉주가 토시에게 카메라를 주는 장면이 인상 깊었는데 봉주가 토시를 친구로 생각하고 있다는 걸 확실히 알 수 있기 때문이었다. 토시가 뚜르를 떠나고 나서 다른 곳에서 봉주같은 친구를 만나서 그곳에서 잘 지낼 것 같다.

봉주에게 하고 싶은 말은
“토시와 함께 잘 지내는게 보기좋았고 앞으로도 다른 친구들과 잘지내!” 라고 해주고 싶다.

나의 느낌은 봉주가 토시와 친하게 지냈던 것이 봉주와 토시가 예전보다 훨씬 친해졌다는 걸 알게 되었고 앞으로 편견을 갖지 않고 착하게 살아야겠다.

봉주르 뚜르

백찬규

프랑스에 뚜르라는 애가 있다 밥을 먹고 자려는 도중에 책상에서 나의 조국이라는 글씨가 있있어서 그 글씨를 쓴 사람은 찾는 이야기다. 가장 인상깊은 점은 봉주가 토시 식당에 처음 왔을 때 이다. 이유는 토시가 약간 이중인격 같았다. 그래서 기억에 남는다 뚜르를 떠나 토시가 봉주 같은 애를 만날 것 같다.

토시야 나는 니가 정말 불쌍해. 그냥 가게에 남아 있는 걸 훔친 걸 왜냐면 봉주는 너의 친구잖아.

이 책을 정말 재미있게 봤다. 토시가 정말로 불쌍하다고 생각한다.

봉주르뚜르

김도희

봉주르 뚜르는 토시가 북한인인데, 프랑스로 탈국해서 숨어다니는데, 봉주라는 친구를 만나는 이야기다.

내가 이 책을 읽으면서 인상 깊었던 장면은 마지막에 “친구라고 불러줘서 고마워” 라고 말하는 장면이다. 그리고 토시가 떠난 후 봉주랑 다시 만날 거 같은 기분이 든다. 내가 토시에게 “탈북을 하고 봉주르라는 친구를 만나서 참 잘된 거 같아”라는 말을 해주고 싶다.

봉주르뚜르를 읽고 난 생각과 느낌은 북한에 대한 생각이 조금 바뀌었다. 내가 생각하는 북한은 나쁜 생각만 있는데 이 책을 읽고 나서 북한에 대한 생각이 조금 바뀐 거 같다.

봉주르 뚜르

정이현

봉주르 뚜르는 주인공 봉주가 책상 글씨를 발견하고 그 글씨의 주인을 찾아 자신의 호기심을 푸는 흥미진진한 이야기이다.

나는 봉주가 편지를 읽는 장면이 인상 깊었다. 왜냐하면 토시의 편지가 감동적이였고 봉주의 반응도 기억에 남았기 때문이다.

◎ '봉주르 뚜르'를 읽고 북한과 북한 주민에 대해서 생각해보는 계기가 되었을 것 같은데요. 통일에 대해 여러분은 어떻게 생각합니까?

김대현	통일이 되어야한다. 왜냐하면 국방비가 많이 줄고 북한에 있는 자원을 얻을 수 있기 때문이다.
노지민	통일을 찬성한다. 왜냐하면 국방비가 줄고 고령화가 줄어들기 때문이다.
박도현	통일을 반대한다. 왜냐하면 누가 봐도 북한은 기술력도 군사력도 우리보다 딸리고 우리가 손해보는 게 더 많기 때문이다.
백승범	반대입니다. 왜냐면 지금도 잘 지내고 있으니까 그냥 이대로 살면 좋겠습니다.
백찬규	통일이 되아야한다. 왜냐면 국방비가 많이 줄기 때문이다.
송준엽	통일을 찬성한다. 왜냐하면 통일이 얼마 안 됐을 때는 좀 힘들겠지만 그 후에는 지금의 몇 배에 달하는 기술력, 노동력, 힘을 갖게 되기 때문이다.
윤준호	통일이 되지 말아야 한다 왜냐면 통일이 되어도 남한은 민주주의고 북한은 공산주의 라서 궁합이 안 맞을수 있기 때문이다.
이승진	반대한다. 왜냐면 남한이 더 세기 때문이다 그리고 군대는 그냥 가면 되고 우리는 미국이랑 친해서 자원이 있다.
이태현	통일을 반대한다. 왜냐하면 서로의 이념 차이가 심하고 북한 사람들과 잘 안 맞을것 같다.
정유민	나는통일을 찬성한다. 왜냐하면 같은 민족성도 있고 한라산도 가보고 싶다. 또 이산가족도 있기 때문이다.

정이현	통일을 해야한다. 통일을 해야 공포에 떨지 않을수 있다.
한도율	통일이 되어야 한다. 전쟁에 대한 두려움에서 해방될 수 있다.
한태호	난 통일을 해야 한다고 생각한다. 통일을 하면 국방비를 줄이고 국민들이 전쟁의 공포에서 벗어날 수 있기 때문이다.
강라희	통일을 해야한다. 왜냐하면 원래 한민족이었고, 남한의 기술과 북한의 자원을 통해 더 나은 미래를 만들수 있기 때문이다.
김도희	통일를 반대한다. 분단이 된 지 한참 됐는데 꼭 합쳐야 되는 이유를 모르겠다.
김여경	통일 하는 것을 반대한다. 이미 분단 된 지 오래되었고 많은 이산가족 분들이 돌아가셨기에 할 필요가 없다고 생각한다.
김재인	통일은 필요하다고 생각한다! 통일이 되어 국방비를 줄여나가며, 우리나라를 더 발전시킬 수 있기 때문이다!!
김주은	통일을 반대해요. 왜냐하면 세금을 더 내야하고 손해가 더 많기 때문이에요.
박소민	통일을 찬성한다. 왜나하면 북한의 자원, 노동력과 한국의 기술력이 합쳐지면 강대국이 될 것이다.
신민아	나는 통일의 필요성을 별로 느끼지 못한다. 우리나라와 북한이 분단된지 오랜 시간이 흘러 너무 많은 것이 달라져 버렸다. 한순간에 다시 같은 민족이 될 수 없을 거라고 생각한다.
신서윤	나는 통일을 반대한다. 통일을 해서 얻을 수 있는 것 보다 잃을 것이 더 많을 것 같기 때문이다. 굳이 통일을 하지 않고, 종전을 해서도 우리가 편안하고 안전하게 살아갈 수 있을 것 같기 때문이다.

신유이	통일을 찬성한다. 왜냐하면 장점이 많기 때문이다.
유아린	나는 통일을 해야 한다고 생각한다. 왜냐하면 통일을 하면 전쟁의 두려움에서 벗어날 수 있기 때문이다.
이지우	나는 통일이 되어야 한다고 생각한다. 왜냐하면 국방비도 줄고 살아 계신 이산 가족들이 만날 수 있기 때문이다.
정수빈	나는 통일이 필요 없다고 생각한다. 몇십 년 동안 분단 되어있었는데 갑자기 통일을 하게 된다면 서로간의 이념과 문화, 언어 등의 차이가 너무 크기 때문에 통일하기 어려울 것이다.
천유림	나는 아직도 전쟁 중이고 분단 된 지 한참 되었는데 지금 이대로 지내고 싶다.
최윤서	나는 통일을 하지 않아야 한다고 생각한다. 그 이유에는 극심한 정치적 사회적 혼란 발생,막대한 경제적 비용 발생 일자리 감소 복지 혜택 축소 등이 있다.
홍채현	반대한다. 왜냐하면 통일을 하면 세금을 더 많이 내야 돼서 그냥 우리끼리 살고 싶다.

"시합은 이기라고 하는하는 거
잖아요.저는 이기고 싶어요."

-5번 레인 中-

나루는다른 무엇보다도, 태양이가 물속에
서 고백했다는 점이 가장 마음에 들었다.

-5번 레인 中-

나루의 라이벌 초희는 어느 날부터인가 1위를 내주지 않는다.
롤 모델이었던 언니 버들이는 느닷없이 수영을 그만두고, 자꾸만 눈이 가는 전학생 태양이는 수영부에 들어온다.
수영을 내내 함께 온 소꿉친구와의 우정에는 위기가 찾오고, 이렇게 어지러운 마음으로 전국 수영 대회를 잘 치르고 마무리 된다.

수영대회와 여정 : 나루의 포기하지 않는 이야기

박도현

이 책의 줄거리는 주인공인 나루가 수영대회에서 초희를 이기려고 나루가 많은 연습을 했다. 많은 연습을 하면서 초희에 수영복을 훔쳐서 초희와 싸우기도 하고 태양이랑 연애도 하고많은 일을 지나 결국 초희한테 져버렸다.

내가 인상 깊었던 장면은 태양이가 물속에서 나루한테 고백을 하는 장면이다. 왜냐하면 그 장면을 봤을 때 가 이책을 읽으면서 가장 재미있었다.

만약 내가 주인공인 나루였다면, 나는 초희의 수영복을 훔치지 않았을 것 같다. 왜냐하면 초희의 수영복은 초희의 행운의 부적이자 소중한 물건이니까, 훔치지 않았을 것 같다.

내가 이 책을 읽은 후의 생각은 '무엇이든 포기하지 말고 끝까지 해야겠다' 였다. 나루처럼 포기하지 않으면 좋은 결과를 낼 수 있기 때문이다.

5번 레인

이지우

나는 6학년 온책으로 이 책을 읽게 되었다. 이 책은 나루라는 한강초 수영부 에이스가 라이벌이 생기고 새로 들어온 수영부원 태양이와 사귀게 되고 소꿉친구와의 우정은 점점 갈라지게 된다. 그러다가 라이벌의 수영복을 훔친 나루는 마음이 찝찝하여 결국 사실을 털어놓고 전국 대회에서 자기의 신기록을 세우며 라이벌을 이기지 못하고 2등을 하게 된다.

나는 나루가 자신이 수영복을 훔친 범인이라고 자백하는 장면이 인상 깊었다. 보통 사람들은 거짓말이나 도둑질하면 가슴에 죄책감은 있지만 자백하기는 어렵다고 생각한다. 그래서 나는 나루가 용기를 내 사실대로 말한 모습이 너무 멋있어 보였다.

내가 실제로 나루를 만난다면 '나루야, 나는 네가 왜 그렇게 죽도록 초희를 이기고 싶어 했는지 알 것 같아. 왜냐면 나도 그런 적이 있거든 하지만 그렇다고 초희의 수영복을 훔친 건 잘못됐다고 생각해. 결국 사실대로 말했어도 말이야. 게다가 초희도 너를 진심으로 그 부적 없이 너를 이기고 싶어 하니 너도 포기하지 말고 열심히 노력해서 '1위 강. 나. 루' 라는 말을 다시 듣길 바랄게!'라고 말해주고 싶다.

또한 나루에게 명확한 꿈이 있는 것처럼 나도 명확한 꿈을 정하고 싶다. 그리고 나도 만약 거짓말이나 도둑질하게 된다면 용기를 내 자백해야겠다.

5번 레인

송준엽

5번 레인은 학교 온책 읽기로 읽게 되었다. 5번 레인의 내용은 한강초 에이스인 나루가 푸른초 에이스인 초희에게 계속 지고 내년에 있을 수영대회에서 이기기 위해 노력한다. 그 사이에서 나루가 초희의 수영복을 훔치고 태양이와 사귄다. 그리고 평소에 이해를 하지 못하겠던 언니 버들이를 이해한다. 결국 마지막에도 초희에게 이기진 못했지만 나루는 어떻게 지는지가 중요한 경기를 알게 된다.

나는 나루가 수영복을 훔친 죄책감과 모두가 기대하는 기대 때문에 결국 엄마에게 수영을 못하겠다고 울먹이며 말하는 것이 인상 깊었다.

태양이는 자신이 수영부에 늦게 들어온 만큼 더 열심히 노력하고 자신이 좋아하는 일을 끈기 있게 하는 것이 멋있고 공간된다.

5번 레인을 읽고 난 후 아무리 노력해도 경기에서 이기지 못해도 어떻게 지는 것이 중요한 경기가 있다는 걸 깨달았다.

5번 레인

김주은

이 책의 줄거리는 수영부 강나루가 수영 실력을 더 키우고 라이벌 김초희를 이기기 위해 열심히 연습하는 것이다.

기억에 남는 장면과 이유는 마지막 라이벌 김초희와 수영시합을 하기 전 짧게 대화하는 장면이다. 서로 서로 무관심해 보이지만 사실 마음속으로는 응원하고 있기에 인상 깊었다.

나루에게 하고 싶은 말은 “너의 꿈을 위해 최선을 다하는 너 정말 멋져.” 생각이나 느낌은 자신의 미래를 위해 자신의 지금을 희생하는 나루가 본받고 싶었다.

5번 레인

한도율

이 책은 수영을 하는 자신의 최대 라이벌인 김초희를 이기려다 결국 사고를 저질렀지만 초희가 주인공인 나루를 용서 해주고 수영대회 날 만나 대회를 붙는 이야기이다.

나는 이책을 읽으면서 태양이가 나루에게 물속에서 고백을 하는 장면이 가장 인상 깊었다. 왜냐하면 고백하기 부끄러웠겠지만 용기를 내서 고백한 점이 멋있었기 때문이다.

또 마지막 경기를 하기 전에 서로 대화를 나누는 장면이 기억에 남았다. 왜냐하면 나루가 큰 잘못을 한 건 맞지만 그걸 용서해주는 초희의 말에 감동을 받았기 때문이다.

나는 나루에게 못해도 되니까 포기하지 말라는 말을 전해주고 싶다.

5번 레인

유아린

수영대회에서 늘 2등만 하던 한강초 에이스 나루는 친구들이 찍은 대회 영상에서 1등을 한 푸른초 에이스 초희의 유난히 반

짝이는 것을 보고 초희의 수영복을 의심하기 시작한다. 수영 평가회 때 나루는 코치님께 초희에 수영복에 이의를 제기하지만 받아들여 지지 않고 승남이와 의견 충돌로 둘의 사이만 어색해진다. 결국 코치님이 국제 수영 연맹 홈페이지에 있는 선수용 수영복 목록에서 초희의 수영복을 찾아 보여주면서 나루의 의심을 풀어 주었다. 대통령 배 수영 대회를 앞두고 한강 초등학교 수영장에서 초희와 함께 연습하게 된 나루는 우연히 샤워실에서 초희의 수영복을 보게 되고 갑자기 들어오는 친구들 때문에 자신도 모르게 초희의 수영복을 자신의 가방에 집어넣었다. 수영복이 없어졌다고 슬퍼하는 초희의 모습을 본 나루는 마음이 더욱 무겁기만 하고 수영복을 어쩌지 못하고 자신의 사물함에 넣어 둔다. 나루는 초희를 만나 결국 수영복을 가져갔다고 초희에게 사실대로 말하고 미안함을 담은 편지와 함께 초희에게 전달한다. 화가 난 초희는 그냥 돌아서 가버리고 대통령 배 수영 대회에 참가하게 된다. 나루는 예선 진출하지만, 결승을 기권하려고 한다. 그 사실을 알게 된 초희는 나루에게 결승에 나갈 것을 권하고 둘은 결승에서 승패를 겨루게 된다.

나는 나루가 친구들에게 자신이 초희의 수영복을 훔쳤다고 고백하는 장면이 인상깊었다. 만약 내가 나루였다면 창피하고 비난의 손가락이 두려워 그렇게 고백하지 못했을 것 같다. 하지만 나루는 자신의 잘못을 스스로 더 벌하기 위해 그런 비난을 감수하고 용기를 내어 친구들에게 고백했다. 나도 나의 잘못을 감추지 않고 말하는 나루의 용기를 본받아야겠다고 생각했다.

감정을 담은 수영장 이야기

홍채현

이 책은 표지가 예뻐서 읽게 되었다. 수영부 에이스 강나루는 초희와의 대결에서 지고, 속상한 가운데 전학생 태양이가 수영부에 들어온다. 그러던 중 나루는 초희의 수영복을 훔친다. 하지만 나루는 수영복을 다시 돌려주었다. 그 이후 정정당당하게 초희를 이기게 되는 이야기이다.

이 책을 읽으면서 가장 기억에 남는 장면은 나루와 초희의 경기이다. 왜냐하면 스포츠 경기에서 지는 감정이 무엇인지 많이 겪어봤기 때문이다. 만약 내가 나루였다면 수영복을 훔치기보다는 꾸준히 노력해서 초희를 이길 것이다.

나는 이 책을 읽으면서 나도 꾸준히 무언가를 해야되겠다는 생각이 들었다.

경쟁에서 이기는 것보다 중요한 것

김재인

5번 레인은 제가 읽은 책 뒤에 추천도서로 항상 나와서 궁금했는데, 이렇게 학교에서 읽어본다니, 읽기 전부터 정말 기대가 되었습니다!!

이 이야기는 주인공 나루가 수영 대회 라이벌 김초희를 이기고 싶어서, 하루하루 열심히 수영 연습을 하게 되는데, 자신의 롤 모델인 언니가 갑자기 수영을 그만두게 되고, 나루는 엄청 속상해 했습니다. 나루는 초희에게 수영 대회에서 초희에게 밀리는 것에 열등감이 생겨, 초희와 갈등이 생기게 되고, 이런 나루와 초희는 서로간에 갈등을 풀어가는 내용입니다.

저는 이 글을 읽고 나루와 초희는 처음에 라이벌 관계였지만 서로를 걱정해주고, 챙겨주는 둘의 관계가 가장 기억에 남았습니다. 원래 '라이벌'이라 하면 라이벌끼리는 사이가 되게 나쁠 것 같은 데, 둘은 서로를 존중해주고, 서로를 잘 챙겨주는 것 같아, 본 받고 싶었습니다.

저는 나루가 초희의 수영복을 훔친 것이 가장 인상 깊었습니다. 이 일을 계기로 나루와 초희가 조금 더 친해지고, 나루가 이기는 것보다 더 중요한 것을 알게 된 계기 같은 사건이라 가장 인상 깊었습니다.

저은 나루가 초희의 수영복을 훔치고, 결국 마지막에 코치님께 사실대로 말하는 솔직함을 본받고 싶었습니다! 만약 저라면 끝까지 숨겼을 것 같은데, 라이벌인데도 서로 화내지 않고, 존중해주는 관계!

5번 레인을 통해서 나도 경쟁에서 이기는 것이 가장 중요한 것은 아니란 걸 깨달았습니다.

당당함

강라희

나는 5번 레인을 독서 학교에서 처음 읽게 되었다. 5번 레인은 주인공인 에이스 강나루가 어느 순간 김초희로부터 점점 밀려가게 되었다. 그 과정에서 정태양이 전학을 오게 되고, 수영부까지 들어오면서, 나루에게 고백하게 되었다. 나루는 초희의 수영복을 훔치게 되고, 불행한 날들이 이어지면서 초희에게 사과하고, 둘은 당당하게 터치 패드를 찍는 내용이다.

나는 나루가 마지막 대통령 배에서 나루가 초희에게 진 것이 인상 깊었다. 왜냐하면 나루가 자신이 노력한 만큼 초희도 노력한 것을 알고, 정정당당하게 터치 패드를 찍었기 때문이다.

나는 나도 수영 대회에 나가기 위해서 노력했는데, 그 때문에 나는 나루가 가장 공감되었다. 나는 나루와 성실한 점, 노력한 정도가 다르면서도 배워야 되는 점인 것 같다.

나는 이 책을 읽으면서 정정당당해야 모두가 행복하다는 것을 알았다.

나루와 초희의 성장이야기

백승범

5번 레인이라는 책을 읽었다. 이 책은 2등이었던 나루가 1등인 초희를 이기기 위해 연습하고 대회에 나가서 경기를 했지만 아쉽게 2등 하는 내용이다.

나는 나루가 0.1초 줄이기 위해 학교 수영장을 100바퀴 더 돌았다는 부분이 인상 깊었다. 왜냐면 그 쪼끔 줄이려고 아주 많이 돌았기 때문이다.

나는 이 내용 뒤에 계속 훈련을 해서 대회에 나가서 결국 1등 하는 내용이 있을 것 같다. 나는 이 책을 읽고 아침마다 수영하는 나루가 대단하다고 생각했다. 왜냐하면 아침에는 졸리기 때문이다. 그리고 나루에게 '힘내'라고 말하고 싶다.

물결을 달리는 나루의 이야기

박소민

5번레인은 책 중에서 수상작을 좋아하는 엄마의 추천으로 읽게 된 책이다. 이 책은 결과를 중요하게 생각하는 주인공 나루가 라이벌의 수영복을 실수로 훔쳐 가고 사과하게 되며 정정당당한 레이스를 펼치게 되는 이야기이다.

내가 생각하는 큰 뼈대 줄거리는 이렇지만, 중간중간에 언니인 버들이의 관한 이야기, 8년 지기 친구인 승남이와 라이벌 초희 그리고 태양이의 이야기도 있어서 더욱 이야기가 재미있어지고 몰입도 잘 됐었던 것 같다. 또, 결과가 좋은 시합도 좋지만 어떻게 졌는지 알 수 있는 시합이 더 중요하다는 구절이 마음에 와닿았던 것 같다.

나는 나루의 수영을 일주일에 5번은 하는 마음가짐과 시련이 와도 극복하고 다시 꿈을 향해 달려가는 성격을 본받고 싶다. 운동을 좋아하고 같은 나이대여서 공감도 잘 되고 상상도 잘 되고 이야기도 좋은 구절이 많아서 정말 드라마 같은 책이었다!

5번레인

윤준호

5번 레인 책은 어쩌다 학교에서 접하게 된 이야기로 주인공은 강나루가 수영을 하며 벌어지는 이야기를 담은 책의 이야기다. 이 책을 읽는 중 태양이와 나루가 수영을 하다 태양이가 ”아어오아애“나 너 좋아해 라고 고백을 한 부분에서 나루가 안 받으면 어쩌지?, 태양이가 용감하다는 생각이 들고 주인공이 실패해도 좌절하지 않는게 너무 멋지다고 말해주고 싶다.

처음에는 실패할 때마다 울고, 좌절이 심했었는데 초희의 말 덕분인지 실패를 두려워 하지 않았다. 나도 실패해도 좌절하지 않는 나루를 본받고 싶다.

나는 아직 뚜렷한 목표, 꿈이 없는데 어서 꿈을 찾고 싶다.

꿈을 향한 힘찬 수영

신민아

[5번 레인]은 온 책 읽기로 접하게 되었다. 이 책은 한강초 수영부 에이스 강나루가 전학해 온 태양이를 만나며 시작된다. 태양이는 수영부에 들어오고, 적응도 잘하지만, 나루는 라이벌 김

초희에게 계속 져 스트레스를 받는다. 그러다 나루와 태양이는 서로에게 마음이 생겨 사귀게 되는데, 불행은 언제나 행복할 때 찾아오듯 나루는 실수로 초희의 수영복을 훔친다. 나루는 잘못을 바로잡으러 사과하고, 대회 날 나루는 초희에게 지지만 그날 시합이야말로 지는 게 중요한 시합, 나루와 초희는 칭찬을 건네며 나루가 다음엔 꼭 이길 거라며 말하는 것으로 끝이 난다.

나는 [5번 레인]에서 나루가 초희의 수영복을 훔치는 장면이 가장 인상 깊다. 그 장면은 나루가 만든 돌이킬 수 없는 잘못이자, 나루를 가장 성장 시킨 것 중 하나이기 때문에 더욱 기억에 남는다.

아마 이 책 이야기 뒤엔, 나루는 초희가 1, 2등을 앞다투는 라이벌이자 서로 성장 시켜주는 친구가 되었을 것 같다. 나는 나루에게 "너는 멋있는 아이인 것 같아. 포기하지 않고 끈기 있게 노력하는 걸 보면 대단하다는 생각밖에 안 들어. 초희에게 사과할 때도 힘들고 무서웠을텐데, 용기를 내어 사과한 것이 너무 멋있었어. 앞으로도 포기 말고 수영부 아이들, 태양이 와도 잘 지내며 멋진 수영 선수로 남아줬으면 좋겠어."라고 말해주고 싶다. 나는 내 꿈을 향해 달려가고 싶다. 힘들겠지만 그만큼 성장도 있을 테니까.

5번레인

이태현

나는 우리 학교 6학년 전제가 5번레인 이라는 책을 읽게 되었다. 이 책의 줄거리는 나루라는 아이가 대회에서 초희라는 친구에게 진다. 그런데 태양이라는 친구가 전학을 와서 나루가 있는 수영부에 들어와 둘이 연애를 하게 된다. 어느 날 초희가 있는 학교와 나루가 있는 학교와 연습경기를 하게 된다. 결국 나루는 초희한테 또 지게되고 초희의 수영복 까지 훔친다. 나루는 이상황에서 1등 보다 의미 있는 경기가 중요하다는 것을 알게된다.그리고 초희에게도 사과를 하게된다.

이 책에서 가장 인상 깊었던 내용은 나루가 초희의 수영복을 훔치고 사과할 때 초희가 나루의 사과를 받아주지 않고 먼저 가버린 것이다. 하지만 대회에서 나루를 용서해준다.

그리고 서로 1,2등을 나란히 한 것도 인상 깊었다. 그 이유는 초희가 그 상황에서 침착하게 사과를 받아주는 것이 용기 있는 행동 같았기 때문이다. 만약 내가 초희였다면 사과는 받아주지만 사실은 용서가 안됐을 것이다.

그리고 나루가 질 때 예민해지는 부분이 나와 비슷해 공감이 갔다. 이 책을 읽고 승부욕을 내려놓고 경기 자체를 즐기겠다고 다짐했다. 그래서 이 책을 읽어 봤으면 좋겠다.

5번레인

김여경

나는 이 책을 학교 온책 읽기 덕분에 읽게 되었다. 한강초 수영부 에이스인 강나루가 1위 자리를 내주지 않는 김초희를 이기기 위해 훈련하고 있는 도중 태양이라는 친구가 전학을 오게 된다. 그러다 슬럼프가 오게 되고 초희가 너무 부러워 초희의 수영복을 훔치게 된다. 그리고 다시 돌려주며 정정당당하게 승부를 이어가는 이야기다.

나루가 초희의 수영복을 훔친 것이 가장 기억에 남았다. 나루는 나쁜 마음으로 훔친 것은 아니었지만, 그 수영복이 초희의 승리의 부적이라는 생각에 그것이 없으면 내가 1등을 할 수도 있겠다는 생각을 나루는 갖고 있었다는 것이 가장 와닿았던 것 같다. 라이벌의 승리의 부적이 없다면 내가 나루라면, 아무리 라이벌을 견제하고 싫어해도 도둑질은 하지 않을 것 같다. 사실 그게 진짜 승리의 부적이란 보장도 없고, 상대가 슬퍼할 것을 알면서도 그것을 만지고 가져간다는 사실이 정말 1위가 간절하다는 생각이 들어 마음이 아팠다.

라이벌은 항상 이길 수 없다는 생각이 든다. 항상 내가 1위만을 할 수 없는 거고 언제는 라이벌에게 1위를 내줘야 할 때도 있다는 것을 깨달았다.

노력의 수영자

최윤서

이 책의 주인공인 나루는 5번 레인에서 수영을 2번째로 잘하는 수영선수이다. 수영에서 4번 레인에 있는 친구가 라이벌이고, 그 친구를 이기려고 열심히 노력하는 이야기이다.

그 친구를 이기기 위해 나루가 "제대로 해보고 싶어요" 라고 말한 바가 있다. 이 문장을 보고 나에 대해 생각을 하게 되었다. 나는 나루처럼 이렇게 제대로 해보고 싶었던 것이 있는가? 나는 나루처럼 어떤 일에 정성을 다해 제대로 일하고 있는가? 에 대해 생각해 볼 수 있는 문장이었다.

이 책을 읽고 나는 시합이 전부가 아니고, 무조건 1등이라는 것만이 좋은 것을 아니라는 생각을 했다. 1등이 아니여도 어떤 것을 이루기 위한 그 노력이 가장 중요하다는 점을 깨달았다.

새로운 시작

신서윤

나는 처음에는 엄마가 이 책을 추천해 줘서 접하게 되었고, 2번째로는 학교에서 온책읽기 책으로 선정되어 읽어보게 되었다.

내용은 항상 1등을 해오던 주인공 강나루가 갑자기 나타난 라이벌 김초희 때문에 2등을 하기 시작했다. 이런 와중에 전학생 태양이가 수영부에 들어오게 된다. 나루는 초희의 부적인 반짝이는 수영복을 의도치 않게 훔치게 된다. 마지막에는 나루가 초희의 수영복을 돌려주고 정정당당하게 수영하고 나루가 2등을 하는 것으로 이야기는 끝나게 된다.

나는 나루의 친언니이자 롤모델인 버들이가 수영의 길을 접고 새롭게 다이빙하며 점수가 잘 나오지 않아도 행복해하는 장면이 기억에 남는다. 실수해도 속상해 하지 않고, 그 결과를 인정하며 만족하는 모습이 멋지다고 생각된다. 이런 점에서 나루가 버들이를 롤모델로 삶은 이유를 알 것 같다.

나는 나루에게 '너무 실망하지 마! 지금까지 수영해온 시간보다 앞으로 할 수 있는 날이 더 많아. 너도 이번 사건을 통해 많은 것을 배우지 않았니? 그러니 나는 네가 앞으로는 더 잘 할 수 있다고 믿어!'라고 말해주고 싶다.

이 책을 다시 한번 더 읽게 되었을 때는 처음에 대충 읽고 넘어간 것들을 2번째로 읽을 땐 놓치지 않게 돼서 좀 더 공감하며 읽을 수 있었던 것 같다. 혹시 내가 놓치고 못 읽었던 곳이 있을 수 있으니 한 번 더 읽어봐야겠다.

패배란 성공의길

한테호

이 책의 줄거리는 항상 1등만 하던 나루가 어느 순간부터 초희에게 1등을 뺏겨 2등을 연달아서 하게 되고, 그로 인해 기분이 안 좋던 상황에 수영대회가 개최해 친구들과 함께 나가게 되고, 그 과정에서 패배의 소중함을 깨닫는 내용이다.

나는 이 책에서 초희가 부적보다 중요한 건 나 자신이란 걸 깨달은 장면이 인상 깊었다. 부적이 없으면 경기를 잘 치르지 못하던 초희가 징크스를 극복한 것이 멋있었기 때문이다.

나는 이 책에서 버들이라는 인물이 가장 공감됐다. 아무리 열심히 노력해도 노력은 재능+노력을 이길 수 없다는 걸 잘 알고 있었기 때문이다.

이 책을 읽고 난후 난 패배는 실패가 아닌 성공으로 가는 길이란 걸 깨달았다.

손으로 만든 승리의 끝자락

정수빈

한강초 수영부 에이스였던 강나루는 어느 날 5번 레인으로 밀려나 있었다. 다시 말해, 1등을 빼앗긴 것이다. 나루는 시합은 이기려고 하는 것이라는 마음을 갖고 라이벌 초희의 수영복에까지 손을 댔다. 하지만 한강초 수영부 친구들, 코치님, 엄마, 그리고 언니는 언제나 나루의 편이었고, 나루는 정정당당한 시합을 할 수 있게 된다.

나루는 '결과보다 과정이 중요하다고들 말한다. 하지만 아무리 과정이 훌륭한들 결과가 형편없다면 그게 다 무슨 소용이냐?'고 생각했다. 그런데 이제 나루도 알았다. 결과가 좋던, 나쁘던 나루의 손으로, 나루의 두 팔과 다리로 만들어야 했다. 그래야만 승리의 기쁨도, 패배의 분함도 떳떳하게 받아드릴 수 있었다.

나루에게 초희의 수영복을 훔친 건 잘못했지만 자신의 잘못을 인정하고, 결과에 상관없이 나루 자신만의 힘으로 경기에 임했다는 것이 정말 대단한 것 같다고 말해주고 싶다. 끝으로, 나도 나루처럼 결과가 좋던, 나쁘던 무엇에든 '나만의 힘'으로 성실하게 임해야겠다는 생각이 들었다.

나루와 초희의 경쟁과 성장 이야기

노지민

5번 레인 책은 나루라는 아이가 매번 대회에서 1등을 했는데 김초희라는 아이에게 매번 졌다. 그래서 나루는 김초희의 부적 같은 수영복을 가져갔다. 나루는 그 행동이 아니라는 걸 알고 나루는 초희에게 수영복을 돌려줬다. 초희는 나루에게 화냈다. 하지만 초희는 나루를 용서하고 마지막 대회 때 사이좋게 대회를 나섰다.

5번 레인의 인상 깊은 장면은 나루와 초희가 같이 메달 시상식에서 같이 서 있을 때이다. 나루에게 앞으로 더 수영을 열심히 해서 초희를 이기라고 말하고 싶다.

5번 레인을 읽고 난 후 나의 느낌은 살짝 긴장되었고 흥미로웠다. 그리고 5번 레인을 읽고 깨달은 점은 나의 라이벌을 이기 위해서는 상대에게 잘못된 행동을 하지 말고 내가 노력해서 이기는 거다.

열정을 따라가는 나루

김대현

반에서 온 책 읽기로 읽게 되었다. 옛날에 보려고 했었는데 못 봐서 이번 기회에 봤다. 나루가 수영부의 에이스인데 라이벌과의 경기에서 지고 라이벌의 수영복을 의심하게 된다. 한편, 반에 새로운 학생인 태양이가 와서 사귄다. 나루는 태양이와 같이 열심히 연습한 끝에 라이벌과 정정당당하게 붙어서 졌지만 의심하지 않고 더 열심히 해야겠다고 결심한다.

이 책을 읽으면서 라이벌인 초희가 의심받지 않게 다른 수영복을 입고 나루와 같이 경기하는 장면이 나에게 인상 깊었다. 앞으로 나도 거짓말치지 않고 착하게 살고 싶다.

나루가 열심히 연습해서 2등 하는 걸 보고는 예전에 콩쿨 연습했던 게 떠올랐다. 그때 열심히 노력해서 4등을 했었는데, 나루와 비슷한 거 같다.

나루가 수영복을 훔칠 때 왜 저러나 했는데 제대로 사과를 했기에 초희도 마음이 풀렸을 것 같다. 물론 나루가 경기에서 졌지만 축하한다고 하는 게 나도 나루처럼 결과를 인정하고 열심히 노력하며 살 것이다.

5번레인

천유림

나는 5학년 때 선생님의 추천 도서 목록에 있는 5번레인이 재밌고 읽은 친구들이 많아서 읽어봤다. 한강초 에이스 강나루가 라이벌과 서로 경쟁하며 서로 의지하고 한편으로는 달달한 연애 스토리가, 있는 책이다.

이 책에서 나루에 언니는 "날개가 없어도 아주 잠깐 하늘을 날 수 있어. 최고로 아름다운 비행을 해야지. 방향이 아래를 향하더라도 너 스스로 뛴다면 그건 나는 거야."라는 말을 했다. 나는 이 구절이 너무 마음에 와닿고 멋진 말이라고 생각한다. 또 이 책에 마지막에 수영결승전에서 초희가 1등, 나루가 2등을 차지했다.이때 서로 축하해주면서 손을 맞잡은 장면이 인상 깊었다.

무엇보다 나루가 초희를 진심으로 축하해주고 결과보다 어떻게 졌는지가 중요하다는 걸 깨달아서 좋았다. 나는 나루에게 이렇게 말하고 싶다. "라이벌은 정말 좋은 것 같아. 경쟁하면서 어떨땐 서로 의지하거든. 나는 이번 경기가 너에겐 가장 기억에 남을거라고 생각해. 너가 생각하는대로 가장 중요한 건 결과가 아니라 과정이거든. 비록 라이벌을 이기진 못했지만 서로 진심으로 축하해주고 끝까지 1등을 하기 위해 노력한다는 점을 나도 본받고 싶어. 너가 가장 먼저 터치패드를 찍는 그날까지, 내가 널 응원해" 또 이 책에서 나루가 말한 것처럼 인생의 인내는 지긋지

긋하게 쓰지만, 열매는 짜릿하게 달다고 생각한다.

또 어쩌면 나의 진짜 라이벌은 바로 나인 것 같다. 내 인생은 나와 경쟁해야 한다고 생각한다. 어떤 일이 있어도 용기와 끈기를 잃어버리지 않고 콤플렉스를 노력으로 이기는 내가 될 것이다.

5번레인

백찬규

나는 온 책읽기로 5번레인을 보았다. 이 책의 줄거리는 맨날 일등인 강나루 하지만 어떤 대회를 나갔는데 1등을 놓쳤다. 그리고 다음 대회도 또 다음 대회도 1등을 놓쳤다. 결국 1등인 김초희의 수영복을 훔친 것을 마음에 두고 초희에게 사과를 했다. 그 다음 정정당당하게 시합에서 2등을 하는 이야기이다.

인상에 남는 구절은 1초를 줄이기 위해 운동장 100바퀴를 뛰었다. 왜 그렇게 생각했냐면 정말 노력이 가상해 보이기 때문이다. 주인공에게 하고 싶은 말은 나루야 초희 제치고 1등 하자.

읽고 난 후에 느낌과 생각은 '1등을 하고 싶어도 훔치지는 말자' 이다.

5번 레인

신유이

나는 우리 반 온책 읽기로 이 책을 처음 읽었다. 친구들이 재밌다고 하길래 기대가 되었다.

< 5번 레인 >은 상상을 뛰어넘는 이야기였다. 강나루라는 주인공이 수영부였는데 점점 시합에서 초희라는 친구에게 뒤 쳐져 기분이 뒤숭숭했다. 다음날 수영부에 들어오고 싶다던 태양이란 남자아이는 수영부에 들어오게 되고, 둘이 친해지다가 사귀게 된다. 하지만 나루는 초희의 수영복을 훔쳐 죄책감이 들었고, 초희에게 가 사과하며 수영복을 돌려주고 결국 시합에서 초희에게 진다. 내가 쓴 줄거리는 느낌이 안 들어가있지만, 책에서는 웃기고 설레고 흥미진진한 느낌이 확 들어가 있다.

나는 태양이가 나루에게 잠수하면서 고백하는 장면이 너무 설레 가장 기억에 남는다. 아마도 우리 반 몇몇 친구들은 다들 같은 생각일 것이다.

선생님께서 읽어 주셨는데 선생님이 연기를 잘해주셔서 너무 너무 몰입이 잘 되었다. 몇 달이 지났는데도 계속 생각나는 참 참신하고 설레는 고백 방법이었던 것 같다.

나는 주인공 나루에게 “너는 항상 너 혼자라고 하지만 너의 옆에는 널 응원해주는 친구들과 너를 좋아해 주는 태양이란 너의 남자친구가 있어. 그러니 너무 걱정 안 해도 돼”라고 말해주고 싶다. 나루가 힘들 때 버들이와 친구들이 위로해주는 모습을 보니 이렇게 말해 주고 싶다.

5번레인이란 책을 다 읽고 나니 초희가 멋져 보였다. 여기선 라이벌이라고 나오고 다른 책에서는 나쁜 라이벌이 대부분이지만 초희는 멋진 라이벌이었던 것 같다. 나도 나중에는 초희와 같이 친구의 잘못을 용서해주고 정정당당하게 시합을 보는 내가 됐음 좋겠다.

<5번레인>

김도희

“5번레인”은 주인공인 나루와 태양이가 한강초 수영부에서 만나게 되어 사귀게 되고, 나루는 초희의 수영복이 이상해 보여서 초희의 수영복을 훔치고 다시 돌려주고 정정당당하게 시합에 나가는 이야기다.

이 이야기에서 나루가 엄마에게 “제대로 해보고 싶어요”라고 이야기하는 장면이 있는데, 나도 수영을 하면서 엄마에게 그 말을 한 적이 있기 때문에 그 구절이 인상 깊었다. 내가 만약 나루라면 수영을 포기했을 거 같은데, 나루가 초희를 이기기 위해 열심히 노력한 부분이 멋졌기 때문에 나도 나루처럼 끈기 있는 사람이 되고 싶다고 생각했다.

5번 레인

이승진

강나루의 승부욕은 인상적이었다. 나루가 말한 "시합은 이기려고 하는 거 잖아요. 저는 이기고 싶어요"라는 구절은 특히 감동적이었다. 이 문장은 나루의 목표와 열정을 잘 보여주며, 독자에게도 이기려는 마음가짐이 얼마나 중요한지를 깨닫게 한다.

나는 나루와 공감하며, 시합에서 지면 부끄럽고 짜증나는 마음을 이해할 수 있었다. 이기는 것에 대한 자부심과 만족감을 느끼고 싶어하는 나루의 모습이 나 자신에게도 영감을 주었다. 나는 이 책을 읽고 나서 나도 더 높은 목표를 향해 최선을 다하고 노력하며, 승리에 대한 기쁨을 더욱 소중히 생각해야겠다는 생각이 들었다.

5번 레인

정이현

5번 레인은 나루가 수영을 하며 친구들과 어울리고 라이벌과 경쟁하며 성장하는 이야기이다.

가장 인상 깊었던 장면은 친구들이 나루에게 힘내라고 응원해주는 게 나는 가장 인상 깊었다. 왜냐하면 응원을 받은 나루가 마지막 경기에서 졌지만 끝까지 포기하지 않고 마지막 경기까지 열심히 한 장면이 인상 깊었다.

◎5번 레인을 읽으며 자신의 꿈을 향해 달려가는 한강초 수영부 친구들의 모습을 볼 수 있었는데요. 여러분의 꿈은 무엇인가요? 20년 후의 나의 미래를 상상해봅시다.

김대현	나는 그냥 평범하게 살아가는 회사원이 나의 장래희망이고, 20년 뒤에는 회사에 취업해서 돈을 벌고 있을 것 같다.
노지민	그냥 평범하게 회사원이 장래 희망이고 20년 뒤 그냥 평범한 회사원일 거 같다.
박도현	내 장래희망은 프로그래머다. 20년 후 나의 모습은 아직까진 평범한 회사원일 것 같다.
백승범	공부 열심히 해서 의사 같은 직업을 갖고 싶다. 근데 20년 후엔 그냥 평범한 회사원일 것 같다.
백찬규	돈 많은 백수 20년 뒤에는 돈을 쓰면서 살 것 같다.
송준엽	나의 장래희망은 대기업의 돈을 많이 버는 회사원이다. 20년 뒤에는 대기업에 들어가 열심히 살고 있을 것 같다.
윤준호	아빠 따라 소방관이 되는 것이 나의 장래희망이고 아마 20년 뒤 아빠와 같이 일하며 돈을 벌고 있을 거 같다.
이승진	축구선수가 장래희망이고 20년뒤에 미래는 축구를 잘 예쁘게 열심히 하고 있을 거 같다.
이태현	친구들이랑 돈을 많이 벌어서 죽을때 까지 놀면서 살기 그리고 행복한 가정 만들기
정유민	나의 장래희망은 천문학자다. 20년 후에는 그냥 평범하게 살 것 같다.

정이현	내 장래희망은 없다. 어른이 되도 장래희망이 없다면 평범하게 회사를 다닐 것이다.
한도율	억만장자이다. 혼자서 게임하며 자유롭게 살 것이다.
한태호	나의 장래 희망은 돈을 많이 버는 직업이고 20년 후엔 난 돈을 많이 쓰며 보낼 것 같다.
강라희	나의 장래희망은 천문학자이다. 20년후의 나는 대한민국 사람들이 가장 자랑스러워하는 사람일 것 이다.
김도희	나의 장래희망은 피부과 의사고, 20년후의 나의 모습은 건물 5개를 가지고 있는 모습일 것이다.
김여경	나의 장래희망은 평범하게 회사를 다니고 살아가는 회사원이고, 20년 뒤에는 결혼을 하거나 돈을 벌며 살아가고 있을 것 같다.
김재인	나의 장래희망은 되게되게 많다!! 우선 전부터 내가 이루고 싶었던 꿈인, 수의사가 되어 많은 동물들을 치료해주고 싶다. 다음으로 나의 꿈은 미술관련 대학에 들어가서, 미술에 관한 일을 하고 싶다. 20년 후에 나는 평범한 회사원일 것 같다.
김주은	나의 장래 희망은 아직 안 정해졌지만 내가 좋아하는 직업을 가지면 좋겠다. 미래에 부족하지않은 돈을 가지고 있고 싶다.
박소민	공부를 열심히 해서 회사에 취업해서 일을 하고 있을 것 같다.
신민아	나는 손을 쓰는 일을 하고 싶다. 20년 후에 나는 아마 그림 쪽에서 일하고 있을 거 같다.
신서윤	20대에는 대기업에서 일하고, 연애하며 지낼 것이고, 30대에는 모아둔 돈으로 집을 사고, 결혼을 하며 예쁜 가정을 꾸리며 살아갈 것이다.

신유이	나는 그냥 평범한 가수가 되고 싶다. 20년 후 팬이 있는 가수가 꿈이다.
유아린	나의 꿈은 좋은 회사에 취업한 다음 로또 당첨이 되어 회사를 바로 그만둔 다음 한강 뷰 집에서 살고 싶다.
이지우	어.. 내 생각에 나에게 장래 희망은 없는 것 같지만 만약 하나를 생각해 본다면 나는 캐릭터 디자이너나 디저트를 만드는 사람이 되고 싶다. 하지만 20년 뒤에 나는 친구들과 함께 행복한 30대를 즐기고 회사를 다니는 일반인 다른 사람과 다른 바 없는 사람이 될 것 같다.
정수빈	나의 꿈이자 장래 희망은 의사가 되는 것이다. 정말 힘들고 어려울 것 같긴 하지만, 내 인생의 목표인 의사가 되고 싶다. 아울러, 20년 후 33살이 된 나는 의사로서 가장 빛나는 전성기 시대를 살며 많은 이들에게 도움이 되는 의사가 되어있을 것이다.
천유림	나는 아직 장래 희망과 정확한 꿈은 없다. 하지만 나는 돈을 많이 못 벌고 부모님이 반대하시더라도 어떻게 해서든지 내가 원하는 일을 할 것이다. 20년 뒤에는 나의 꿈을 위해 돈을 벌어야 하니까 아마 면접을 보러 다니고 있을 것 같다.
최윤서	나의 장래는 수학자이고, 20년 후에는 열심히 수학을 연구하고 있으면서 수학을 발전시켜 나가려고 노력하고 있을 것 같다.
홍채현	제 꿈은 죽기 전 까지 살 돈을 모으고 편하게 일안하고 살고 싶다.

다른 세계의 은유와 은유

은유는 아빠를 따라 바다 옆 카페에서 1년 뒤 자신에게 편지가 오는 느린 우체통에 넣을 편지를 아빠와 같이 적는다.

그러나 1년 뒤 은유에게 와야했던 편지는 1982년 국민학교 3학년 은유에게 전달된다. 처음에는 믿기지 않았으나 일주일과 일년이라는 시간을 오가며 둘은 누구보다 친한 언니 동생 사이가 되었고 둘은 자신의 고민을 털어놓았다.

그렇게 서로의 고민을 털어놓다보니 1982년 은유가 자신의 엄마이고 자신의 엄마가 없는 이유를 알게되는데......

무관심 속에서 찾아온 깨달음

정수빈

엄마도 없고, 아빠까지 무관심한데 아빠와 사귀고 있는 아줌마는 또 얼마나 별로인지. 16살 은유는 오늘도 무관심 속에서 살아가고 있다. 그런데 아빠가 '느리게 가는 우체통'에 편지를 넣어보라 하며 은유는 엄마가 어쩌다 돌아가시게 되었는지, 왜 아빠가 자신에게 무관심한지 알게 되었다.

나는 이 책을 읽고, 다시금 엄마의 소중함을 느끼게 되었다. '엄마'라고 하면 '단지 내 곁에 있어 주는 사람'이라고만 생각했는데, 엄마가 언제나 항상 내 곁에만 있어 줄 수는 없겠다고 느꼈다. 항상 너무나도 당연하게 생각한 엄마께 조금 죄송한 마음이 들었다. 너무나도 당연하게 생각하지 말고, 엄마의 소중함을 다시 한번 느껴봐야겠다.

끝으로, 세상에는 몇십억 명이 존재하고, 우리는 그 수 많은 확률 중 한 명으로 태어난다. 그래서 사람들 간의 인연이 소중하고 특별하다고 하나 보다. 다시 한번 나와 내 가족, 친구들의 소중함을 느껴보고, 그들을 더욱 소중히 여겨야겠다.

시간을 넘어선 우정

박도현

줄거리는 과거의 은유와 현의 은유가 편지를 서로 주고받고 있었는데 원래 나이가 어리던 과거에 은유의 세계에선 시간이 빨리 가서 나이를 역전하고 먼저 성인이 되었다.

먼저 성인이 돼서 어린 현재의 은유의 엄마를 찾기 위해 대한 대학교에서 송현철을 찾았다. 하지만 현재의 은유의 엄마는 과거의 은유였다. 과거의 은유는 현재의 은유를 살리기 위해
암 치료를 받지 않았다. 인상 깊었던 장면은 아빠의 편지 중에서 원래 엄마가 암에 걸려 죽었다는 장면이었다. 왜냐하면 과거의 은유가 죽었다고 생각해서 조금 슬펐다.

뒷이야기는 엄마, 아빠랑 화해해서 같이 살 것 같다. 느낀 점은 엄마가 얼마나 자식들을 사랑하는지 느꼈다.

세계를 건너 너에게 갈게

유아린

2016년 15살 은유는 재혼을 앞두고 느닷없이 살갑게 다가오는 아빠가 싫다. 그간 딸을 철저하게 외면했던 아빠가 1년 뒤 은유를 생각하며 자신에게 편지를 써보라고 말해 어이가 없다. 은유는 1년 뒤엔 꼭 가출하겠다는 다짐의 편지를 썼다. 하지만 이 편지는 놀랍게도 1982년 10살인 은유에게 도착한다. 두 은유는 34년의 세월을 넘어 편지로 소통하게 된다. 편지를 주고받는 동안 기이하게도 과거 은유의 시간만 빠르게 흘러 어느덧 초등학생이던 은유는 대학생이 되고 2016년의 은유의 언니가 된다. 2016년의 은유는 엄마에 대해 알고 싶다. 아빠는 엄마에 대해 아무런 말도 하지 않고 집에는 엄마의 사진조차 남아 있지 않다. 과거의 은유는 미래의 은유를 위해 아빠를 찾아 엄마에 대해 알려주겠다고 했다. 그런데 과거의 은유는 미래의 은유의 친엄마를 찾다가 점점 은유 아빠와 가까워졌다. 그리고 관계는 더욱 발전하여 결혼하고 아이를 배게 된다. 행복도 잠시 임신한 과거의 은유는 암에 걸렸다는 것을 알게 되고 암치료를 포기하고 출산을 선택하였다. 과거의 은유는 자기 딸을 쉽게 찾을 수 있도록 '은유'라고 지었다. 그 딸이 현재의 은유이다.

나는 동생으로 시작해 친구, 언니 그리고 엄마로 이어지는 것, 그리고 이렇게 공감하고 마음이 이어질 수 있었던 것 역시 가족이기 때문이 아닐까 생각한다. 그러므로 엄마가 은유를 낳을 때 망설임 없이 자신의 희생을 감수할 수 있지 않았을까 생각한다.

가족과의 편지

한태호

이 책의 내용은 주인공인 은유가 시간이 느리게 가는 편지로 나와 이름이 같은 누군가와 편지를 주고받는데 알고 보니 죽은 엄마였다는 내용이다.

나는 이 책에서 은유의 엄마가 마지막으로 편지를 보냈던 장면이 인상 깊었다. 은유 처지에서 생각해 보면 엄마가 없던 이유를 찾은 기쁨과 동시에 엄마를 잃은 슬픔 항상 고민을 털어놓는 친구를 잃는 슬픔이 겹쳐서 너무 슬플 것 같았기 때문이다.

만약 내가 이 책의 뒷이야기를 상상해 보자면 은유의 아빠는 재혼하게 되고 새엄마와 친해진 은유가 새엄마와 함께 카페에 가게 되고 거기서 시간이 느리게 가는 편지를 발견해 은유가 편지를 쓰며 이야기가 끝날 것 같다. 난 이 책을 읽고 나도 나중에 아들/딸 이 생긴다면 꼭 편지를 써보고 싶다고 생각했다.

Dear My Friend

신서윤

이 책은 은유가 편지를 느리게 가는 우체통에 넣고 그 편지가 과거로 가게 되며 이야기가 시작된다. 과거의 은유가 그 편지를 읽고 자기의 엄마를 몰랐던 은유에게 자신의 수능 시험 답을 알려주는 대신 은유의 엄마를 찾아주기로 거래한다. 마지막에 알게 된 사실은 은유의 엄마는 과거의 은유였고, 현재 은유의 아빠는 엄마를 기억하기 위해 현재 은유의 이름을 과거의 은유와 똑같이 지은 것이었다.

처음에는 정말로 이게 왜 슬픈 책인지 몰랐다. 하지만 후반부에 들어서서 아빠의 편지를 읽는 부분부터는 처음에는 몰랐던 아빠의 진심이 너무 잘 느껴져서 좀 슬펐던 것 같다. 분명히 아빠도 은유에게 잘해주고 싶었을 텐데…. 마음을 전달하는 방법이 문제였던 것 같다. 은유도, 아빠도 모두 아빠인 것이, 딸인 것이 처음이었기에 더욱 힘들었을 것 같다. 내 엄마도 아빠도 '모두 이 역할을 맡은 것이 처음이었기 때문에 때로는 같이 놀아주고 때로는 화를 내는 것이 아닐까?'라는 생각이 든다.

이 이후에 있을 가정사도 기대된다. 솔직히 아직도 심장이 두근두근 빨리 뛴다. 여운이 엄청나게 남는 것 같다.

어쩌면 우리가 당연하다고 생각하며 살아가는 것

김재인

세계를 건너 너에게로 갈게는 주인공 은유는 부모님 없이 자라던 한 부모 가정인 가운데, 느리게 가는 우체통이라는 편지에서, 자신과 똑같은 이름에 누군가에게 편지를 받았는데요. 그 누군가의 정체를 알아가는 과정에서 그게 은유의 엄마라는 사실을 알게 됩니다.

저는 세계를 건너 너에게로 갈게 마지막 쪽 대사에서, "우린 너무 많은 기적을 당연하게 생각하면서 살아가는지 모르겠어, 엄마가 딸을 만나고, 가족이 함께 먹고, 울고, 웃고 평범한 일상이 누군가에게는 기적 같은 일일 거야." 부분이 기억에 가장 선명하게 남았습니다. 같이 울고 웃으며 감정을 교감하는 일이 얼마나 보물 같은 일인지 깨달았습니다.

제가 은유라면 엄마가 없는 우리 가정이 너무 미웠을 것 같은데, 과거의 은유가 우리 엄마라는 사실을 알게 되면 마음이 찢어질 듯 아플 것 같아요.

이 책을 읽고 저는 부모님과 함께 행복하게 사는 것을 당연히 여기면 안 된다고 생각했습니다. 저는 오늘도 부모님과 함께 따뜻한 밥을 먹을 것입니다.

은유의 이야기

홍채현

엄마가 돌아가시고 아빠는 재혼을 준비해서 마음이 뒤숭숭한 은유 아빠는 그런 은유를 위해 느리게 가는 우체통에 편지를 적게 했다. 하지만 나와 이름이 같은 과거의 은유에게서 답장이 돌아왔다. 그렇게 둘은 서로의 고민을 들어주면서 과거의 은유가 자신의 엄마인 걸 알게 되는 내용이다. 그중 가장 인상 깊었던 내용은 마지막에 과거의 은유가 자신이 현재의 은유의 엄마라는 것을 알려주는 편지를 보내주는 장면이다.

만약 내가 은유였어도 수술을 포기하고 아기를 낳을 것 같다. 이 책을 읽고 나서 앞으로 엄마에게 잘해야 할 것 같다는 생각이 들었다. 이 책에서 가장 인상 깊었던 말은 ‘ 언니 아직 거기 있지?’와 ‘너무 늦은 사과라는 걸 알지만 이 편지가 네 마음에 문을 여는 노크가 되었으면 한다’가 인상 깊었다. 왜냐하면 이런 말 몇 마디가 너무 슬펐기 때문이다.

세계를 건너 너에게 갈게

정이현

세계를 건너 너에게 갈게는 현재의 은유와 지금의 은유가 편지를 주고받으며 현재에 은유의 아빠를 과거에서 찾는 내용이다. 현재의 은유와 과거의 은유가 편지를 보내며 서로를 도와주는 게 재미있었고 현재의 은유의 아빠를 찾으며 추리하는 게 재미있었다.

가장 인상 깊었던 장면은 마지막 편지에서 과거의 은유가 “언제나 그랬듯 다시 세계를 건너 너에게 갈게”라는 문장이 좋았고 기억에 제일 남았다.

세계를 건너 너에게 갈게

백찬규

이 책은 학교 독서 시간에 읽은 책이다. 이 책의 줄거리는 은유라는 주인공과 죽은 은유의 엄마와 우체통으로 편지를 쓰는 이야기이다.

가장 인상적인 부분은 마지막 편지를 보낼 때가 가장 인상 깊었다. 만약 내가 은유였다면 아빠도 재혼하고 새엄마랑 산다면 가출할 것 같다. 책을 읽고 난 후 든 생각은 정말 슬프다.

읽고 난 느낌은 엄마가 엄청 대단하다고 생각했다. 왜 대단하냐면 이렇게 희생정신이 엄청 좋기 때문이다. 끝!

세계를 건너 너에게 갈게

이태현

이 책은 아빠에게 관심을 받고 아빠와 평범한 생활을 하고 싶은 16살의 엄마가 없는 은유가 과거의 은유에게 편지를 보내며 편지의 상대가 자신의 엄마라는 것을 알게 된다.

이 책은 나와 모든 사람에게 누구나 따뜻한 마음이 있는 부모들이 있다는 것이다. 그래서인지 가족이 짜증 나도 이 책을 읽으면 가족의 마음도 어느 정도 이해가 간다.

'세계를 건너 너에게 갈게'라는 책은 가족이 중요하고 가족에게는 누구나 사랑받는 가족이 있다는 것이다. 그러므로 이 책을 읽어보는 것을 추천한다.

은유의 편지

박소민

와…. 미쳤다…. 아니 순화시켜서 찢었다…. 이렇게 감동적이면서 슬픈 이야기가 있다니…. 이 이야기는 학교에서 선생님이 읽어주셔서 알게 된 이야기이다. 출판사는 문학동네이고 이꽃님이라는 분이 쓰셨다. 이 책은 현재의 은유의 엄마는 흔적도 없는 아무것도 모르는 사람, 아빠는 관심조차 주지 않는 사람으로 나온다. 현재의 은유가 느린 우체통으로 편지를 보내게 되자, 과거의 다른 은유가 편지를 받게 돼서 현재의 은유의 엄마를 과거의 다른 은유가 찾아주는 이야기이다. 여기서! 과거의 다른 은유는 현재의 은유의 엄마였고, 과거의 은유는 현재의 은유를 임신할 때 암에 걸려 암치료를 포기하고 현재 은유를 낳고 죽게 된다.

가장 인상 깊었던 부분은 은유가 아빠의 속마음이 쓰여있던 편지와 엄마의 편지를 받을 때였던 것 같다.

이 책을 읽고 자신의 항암치료를 포기하고 은유를 낳고 죽는 과거 은유의 이야기에서 엄마의 모성애가 느껴져서 내 엄마를 더 소중하게 생각하게 된 것 같다!

사랑의 우체통

최윤서

이 책은 현재의 은유가 느린 우체통에 편지를 보내 과거의 은유, 그러니까 그녀의 엄마와 소통하게 되는 이야기이다. 내가 제일 인상 깊이 생각하는 부분은 마지막에 은유의 엄마가 자신의 삶을 포기하고 그녀의 딸인 은유를 선택하는 부분이 가장 인상 깊었다. 이 부분을 읽으면서 찡하기도 했고, 아직 태어나지도 않은 딸을 위해 희생하는 부분이 너무 책임감 있다고 생각했기 때문이다.

이다음에 나는 은유가 자신의 엄마와 엄마가 자신을 엄청나게 사랑한다는 사실을 알고 나서 전보다 더 긍정적이고 희망 있게 살 것 같다. 아빠도 은유에게 비밀을 밝힌 뒤, 은유에게 더 잘해 줄 것이다.

나는 이 책을 읽고 나서 가족의 사랑에 대해 더 잘 알 수 있었고, 나에게 이런 부모님이 계신다는 사실을 매우 감사하게 생각하게 되었다.

가족과의 편지

한태호

이 책의 내용은 주인공인 은유가 시간이 느리게 가는 편지로 나와 이름이 같은 누군가와 편지를 주고받는데 알고 보니 죽은 엄마였다는 내용이다.

나는 이 책에서 은유의 엄마가 마지막으로 편지를 보냈던 장면이 인상 깊었다. 은유 처지에서 생각해보면 엄마가 없던 이유를 찾은 기쁨과 동시에 엄마를 잃은 슬픔 항상 고민을 털어놓는 친구를 잃는 슬픔이 겹쳐서 너무 슬플 것 같았기 때문이다.

만약 내가 이 책의 뒷이야기를 상상해보자면 은유의 아빠는 재혼하게 되고 새엄마와 친해진 은유가 새엄마와 함께 카페에 가게 되고 거기서 시간이 느리게 가는 편지를 발견해 은유가 편지를 쓰며 이야기가 끝날 것 같다. 난 이 책을 읽고 나도 나중에 아들/딸 이 생긴다면 꼭 편지를 써보고 싶다고 생각했다.

세계를 건너 너에게 갈게

김도희

세계를 건너 너에게 갈게는 은유가 느리게 가는 우체통을 발견하게 돼서, 과거의 은유와 편지를 주고받는 이야기다. 이 책에서 아빠가 곧 재혼할 사람과 은유와 보게 되는 장면이 있는데 그 장면이 인상 깊었다. 왜냐하면 아빠가 너무 뻔뻔하기 때문이다.

그리고 내가 은유라면 아빠랑 재혼할 사람 못되게 굴었을 것 같고, 아빠를 다시는 안 볼 것 같다. 그리고 은유는 아빠와 사이가 좋아졌지만, 재혼할 사람이랑은 철벽같이 대할 거 같다. 나는 이 책을 읽으면서 만약 엄마가 없으면 빈자리가 많이 느껴진다는 걸 알게 되었고, 가족의 소중함을 1번 더 느끼게 되었다.

◎'세계를 건너 너에게 갈게'에서 과거의 은유는 현재의 은유를 위해 항암 치료를 포기합니다. 여러분이 과거의 은유였다면떤 선택을 했을까요? (아이를 포기한다 vs 아이를 살린다)

김대현	나라면 아기를 살렸을 것 같다. 왜냐면 아이는 아직 살아갈 삶이 많이 남아있는데, 아기를 포기할 순 없기 때문이다.
노지민	내가 은유 엄마였다면 은유를 포기 했을 거 같다. 왜냐하면 나부터 살고 다음 아기를 낳을 수 있기 때문이다.
박도현	내가 은유의 엄마였다면 아이를 포기했을 것 같다. 왜냐하면 일단 나부터 살고 봐야하기 때문이다.
백승범	나는 나를 포기하고 은유를 낳을 것이다. 왜냐면 지금은 저출산 시대이기도 하고 은유가 사는 걸 원할 것 같기 때문이다.
백찬규	아이를 살릴 것이다. 왜냐면 나보다 할 수 있는 게 많기 때문이다.
송준엽	아이를 살릴 것 같다. 왜냐하면 은유는 세상의 하나밖에 없는 아이이고 내 아이이기 때문에 포기 할 수 없을 것 같다.
윤준호	아이를 포기한다. 왜냐면 나 자신이 죽어 아이 한 명 낳을 바에는 차라리 나 자신 살고 아이 한명 낳는게 더 이득이 되기 때문이다.
이승진	나는 아이를 살릴 것 같다. 왜냐면 아이는 어리니까 할 수 있는 게 더 많다.
이태현	아이를 살리지 않을 것이다. 왜냐하면 아이가 아빠와 어색한 이유가 나 때문이라는 죄책감에 아이를 살리면 미안해질 것 같아서이다.

정유민	나는 아이를 살릴 것이다. 왜냐하면 가족도 내가 아이를 낳길 원할 것 같기 때문이다.
정이현	아기를 낳는다. 나는 아파서 살날이 얼마 없고 아기는 살날이 많기 때문에 나는 아기를 살릴 것 이다.
한도윤	아이를 포기한다. 자신이 먼저이기 때문이다.
한태호	나는 아이를 살릴 것이다. 나의 책임으로 태어난 아이에게 죄는 없기 때문이다.
강라희	나라면 아이를 살릴 것 같다. 왜냐하면 아이는 나보다 더 오래 살 수 있는 생명이기 때문이다.
김도희	아이를 포기한다. 아이가 커서 엄마를 못 보는거보다 아이를 포기하는 게 더 나은 선택인 거 같다.
김여경	나라면 치료를 받을 것이다. 왜냐하면 내가 어렵고 어렵게 가진 아이지만 내가 여기서 죽는다면 아이가 커서 엄마를 원망할 수도 있기 때문이다. 또한 아이는 다시 가질 수 있지만, 나와 똑같은 사람은 다시 태어나게 할 수 없기 때문이다.
김재인	내가 은유의 엄마라면 나를 희생하고 은유를 살려줬을 것 같다. 이유는 내가 낳은 아기를 절대절대!! 포기 할 수 없을 것 같다...!
김주은	아이를 포기한다. 나도 엄마 딸이기 때문이다.
박소민	아이를 살린다. 나는 이미 늙었고 아이는 지금 태어나니까 살 날이 더 많기 때문에 아이를 살리고 싶다.

신민아	나는 아이를 살릴 것이다. 내 아이를 살리지 못하면 내가 아이를 죽인거나 마찬가지라는 죄책감이 들 것 같다. 나의 아이가 커가는 것을 볼 순 없겠지만 그래도 소중한 아이가 세상에서 살아가 주길 바랄 것 같기도 하다.
신서윤	나는 아기를 살릴 것이다. 이미 미래는 정해져 있는 상황에서 내가 치료를 받아도 결국에는 아이만 남기고 다시 죽을 수도 있기 때문이다.
신유이	난 아기를 살릴 것 이다. 아기가 더 중요하고 앞으로의 나의 삶을 아이에게 맡길 것이다.
유아린	아이를 살린다. 엄청난 돈이 필요하고 나의 소중한 아이를 죽이는 건 슬플 것 같기 때문이다.
이지우	내가 은유의 엄마라면 은유를 낳고 항암 치료를 받지 않을 것이다. 왜냐하면 어차피 둘 다 살 수는 없다면 더 미래가 밝은 사람을 살려야 한다고 생각한다.
정수빈	내가 만일 은유의 엄마였다면 은유를 살렸을 것 같다. 내가 만일 은유를 살리지 않고 포기한다면 은유와 지금까지 편지로 함께한 추억들이 없어지는 것이고, 은유가 엄마를 못 보는 것이 슬프고 안타깝긴 하지만, 은유를 포기하면 평생의 인생을 은유에게 미안하며 살아가야 할 것 같아서 은유를 포기하지 못 할 것 같다.
천유림	나는 아이를 포기할 것 같다. 왜냐하면 나는 죽으면 다시 살 수 없지만 아이는 다시 생길 수도 있기 때문이다.
최윤서	나는 아이를 살리지 않을 것이다. 왜냐하면 내가 건강해진 후, 그때 아이를 다시 낳을 수도 있기 때문이다.
홍채현	나는 아기를 살릴것 같다. 왜냐하면 아기를 살리지 않으면 남은 인생을 죄책감에 빠지며 살 것 같다.

해리엇
문학동네어린이문학상 대상작 「봉주르, 뚜르」의 작가
한윤섭이 선보이는 스케일 큰 동화!
"해리엇, 우리가 당신을
바다로 데려가 줄게요."

"해리엇, 내가 당신을 바다로 데려다 줄게요"

오스트레일리아의 한 동물원에는 175년 된 갈라파고스 거북 '해리엇'이 살아간다. 달빛이 내리던 날 밤, 어린 원숭이 찰리는 사람에게서 엄마 품을 빼앗긴 후 외롭고 아프게 살아온 자신의 곁을 지켜준 해리엇을 위해 오래 전에 우리에 묻어둔 사육사의 열쇠를 찾아냈는데…….

어린 원숭이 찰리를 중심으로 바다를 품고서 175년간 살아온 진정한 어른인 해리엇의 이야기를 들려주고 있다. 인간의 잔인함에 희생된 동물들을 기리고 있다. 동물들을 야만적으로 사육하고 섭취하는 인간이 진정으로 진화한 것이 맞는지도 묻는다. 특히 해리엇에게서 지혜와 사랑을 배우면서 마음을 단단하게 다지며 성장해가는 찰리의 모습을 통해 서로가 서로의 곁을 지키며 삶의 희망을 품는 일이 굉장히 멋진 일이라는 것을 깨닫게 해준다. 그림작가 서영아의 뭉클하고 아름다운 그림을 함께 담아 이야기가 지닌 감동을 북돋고 있다.

동물의 용기

노지민

해리엇이란 책은 찰 리가 사냥꾼한테 붙잡혀서 사람이랑 같이 생활하는데 결국 동물원에 간다. 그러던 중 동물원에 간다. 그러던 중 동물원 사육사가 흘린 열쇠를 주운다. 그 열쇠를 본 스미스는 열쇠를 가져서 숲으로 가려고 한다. 그래서 찰리와 싸우는데 해리엇이 찰리를 지켜준다. 이 책의 메시지는 동물권을 지키자 같다.

이 책의 인상 깊었던 부분은 찰 리가 스미스에게 죽을 뻔했는데 해리엇이 지켜준 게 너무 인상 깊었다. 이유는 해리엇이 찰리를 지켜줘서다.

내가 스미스였다면 동물원에 갔을 것이다. 숲은 안전하지 않고 동물원은 나의 개코원숭이 무리가 있기 때문이다.

전체적인 느낌은 감동적이었고 생각은 동물이 사람보다 낫다는 생각이 들었다.

해리엇

이지우

이 책은 아기 원숭이 찰리가 엄마 원숭이와 함께 포획되면서 시작된다. 찰리가 엄마와 함께 포획되고 난 후 찰리 어떤 어린아이에게 입양되어 엄마와 떨어지게 된다. 그러다가 어린아이가 집과 멀리 떨어져 있는 학교에 가면서 동물원으로 가게 된다. 그 과정에서 동물원 키를 얻게 된 찰리는 해리엇을 고향으로 돌아갈 수 있게 도와주며 '동물의 권리를 지켜주자'라는 메시지를 담고 있는 이야기이다.

나는 찰리와 올드가 스미스의 아이를 살려주는 부분이 가장 인상 깊었다. 찰리와 올드 둘 다 개코원숭이들을 무서워했으나 그 두려움을 이겨냈다는 게 정말 대단한 것 같고 '만약 찰 리가 도와주지 않았더라면 개코원숭이들이 해리엇이 세상을 떠났을 때 다시 찰리를 괴롭히고 다른 동물들을 괴롭히지 않을까?'라는 생각을 했다. 그래서 나는 찰리와 올드의 그 용기를 본받고 싶다. 만약 진짜 판타지 소설처럼 내가 해리엇 책으로 들어가게 돼서 스미스가 된다면 찰리, 올드와 함께 동물원으로 돌아가서 착하게 지냈을 것 같다. 왜냐하면 스미스도 찰리와 해리엇에게 많은 것을 배운 것 같았고 찰리를 도와준 것으로 보아 숲이 그립긴 하지만 동물원에 조금 더 자신에게 큰 깨달음을 준 동물이 많았기 때문에 동물원에 남을 것 같다.

나는 이 책을 읽고 내가 키우고 있는 구피들에게 미안한 마음 들었다. 지금 내가 키우고 있는 구피들도 사람들이 강제적으로 잡아 온 것이므로 자유를 잃어버리고 우리 집에서도 많은 구피들이 죽었기 때문에 잘 챙겨주지 못한 것 같아서 미안한 마음이 들었다.

해리엇

김여경

이 이야기는 '찰리'라는 원숭이가 한 동물원에 들어오면서 많은 동물들을 만나고 그 중 '해리엇'이라는 거북이를 만나며 동물의 인생에 대해 알아가고, 해리엇의 마지막 날, 근처 바다에 데려다주며 해리엇의 마지막을 지켜보면서 끝나는 이야기다.

마지막 해리엇이 바다에 뜨고 서서히 점점 가라앉을 때가 가장 인상 깊었다. 왜냐하면 이제 자신의 수명이 다 달았고, 그걸 인지한 본인도 굉장히 좋게 세상을 떠난 것 같기 때문이다. 사람 같은 경우는 내가 보고 싶은 사람을 보지 못하고 떠난 경우가 있지만, 해리엇은 자신을 좋아하는 사람들이 자기 죽음까지 보고 가서 가는 길이 평안했을 것이라 생각한다.

만약 내가 스미스라면 찰리, 올드, 해리엇에게 평생 고맙다고 느낄 것 같다. 나의 아기를 살려준 것만으로도 고마운데 스미스가 시비를 건 것을 잊고 아기를 살려준 게 너무너무 고마울 것 같기 때문이다.

나는 이 책을 읽고 동물도 존중해야 할 필요가 있다고 생각했다. 동물에도 동물권이 있고, 이때까지 동물에 대해 잘 생각하지 않았었는데 앞으로는 동물을 소중하게 여겨야 한다고 생각한다.

해리엇

김주은

이 책의 줄거리는 해리라는 거북이가 억지로 호주 동물원으로 잡혀 오고 그 거북이가 동물원을 탈출하고 바다로 가는 것이다 이책의 인상 깊은 장면과 이유는 찰리라는 원숭이가 해리엇이 바다로 강에 도움을 주는 장면이나 은혜를 갚으려고 목숨을 바쳐 도와주는 것은 용감하고 감동적이었고 책을 읽는 내내 심장이 쫄깃했던 내가 일이었다면 찰리 그리고 또 다른 동물들 동물들에게 고마움을 가지고 있을 것 같다 갈라파고스로 다시 돌 왜 도와줄 게 없기 때문이다 나는 이 책을 읽고 동물들은 참 불쌍하다고 느꼈다 동물은 하기 싫어도 억지로 하는 것이 참 안타깝다 이제 동물을 더욱더 존중해야겠다고 생각했다.

동물들의 해리엇 도와주기

백승범

해리엇이라는 책을 읽었다. 이 책은 찰리가 엄마와 헤어지고 나서 동물원으로 가게 된다. 근데 개코원숭이들이 괴롭히는데 해리엇이 도와준다. 그리고 해리엇의 목숨이 3일 남았을 때 해리엇을 도와주는 내용이다.

나는 해리엇이 바다로 갔을 때 몸이 가벼워지고 영혼이 갈라파고스에 도착하는 내용이 인상 깊었다. 왜냐하면 평생 가고 싶었던 곳에 간 거기 때문이다. 나는 이 책 뒤에 스미스가 돌아와서 사이좋게 지내는 내용일 것 같다.

나는 책을 읽은 후에 찰리를 도와준 해리엇이 용감하다고 생각했다.

이별을 넘어선 끝

신민아

이 책은 찰리라는 원숭이가, 숲에서부터 많은 이별을 겪고 동물원에 들어오며 시작된다. 동물원에서 거북이 해리엇과 개코원숭이 스미스를 만나고, 해리엇에게 많은 도움을 받는다. 해리엇의 마지막 날, 동물들이 해리엇이 그리워하던 고향 갈라파고스섬으로 해리엇을 보내주며 끝이 난다.

나는 해리엇이 갈라파고스를 다시 만난, 마지막 부분이 기억에 남는다. 그 장면을 보면서 세상과 작별할 때 내가 가장 사랑했던 것과 만날 수 있다면 진정한 행복이겠다는 생각이 들었다. 마지막에서야 그곳에 닿게 된 게 안타까운 마음도 있었다.

아마 해리엇이 떠나고도, 동물원은 오늘 하루도 평화롭게 손님을 맞이할 것이다. 이 책을 읽으면서 자주 동물들이 불쌍하다는 생각이 들었다. 인간들의 욕심 때문에 동물이 아파야 하는 게 안타까웠다. 동물들이 꼭 행복했으면 좋겠다고 자주 생각했다. 집에 반려동물도 계속 생각나서 더 몰입이 잘 되는 듯했다. 이런 류의 책을 많이 안 읽어 봤는데 읽어 보니 신선하고 감동적이었다. 다음에 다시 이런 책을 읽게 된다면 꼭 친구에게 소개하고 싶다.

해리엇

신유이

나는 이 책을 선생님이 읽어 주셔서 알게 되었다. 이 책은 동물들의 이야기인데 원숭이 찰리라는 주인공이 엄마와 억지로 헤어져 어린아이와 살게 되고 어린아이가 학교를 가게 돼서 찰리는 동물원에 버려진다. 동물원에 간 찰리는 열쇠를 훔치게 된다. 옆 우리에 있던 스미스가 열쇠를 달라고 괴롭히고 있을 때 동물원에서 가장 늙은 거북이 해리엇이 찰리를 도와주게 된다. 해리엇은 올해로 175세이었는데 살날이 점점 줄어가자, 동물원에 있는 동물들이 해리엇과 작별 인사를 하고 해리엇의 고향인 갈라파고스 섬에 데려다준다고 해리엇에게 말한다. 그리고 찰리는 해리엇을 바다까지 데려다 준다. 해리엇을 바다에 데려다주고 다시 동물원에 가려는 스미스와 찰리는 생각을 하나 하게 된다. 동물원에 나왔고 이제 자유인데 숲으로 도망가 자유를 얻을지 다시 동물원에 가 안정감을 되찾을지 물론 찰리는 동물원에 가겠다고 말했지만 스미스는 잠깐의 고민을 하게 된다. 그리고 이 책은 스미스가 나갔을지 돌아갔을지 의문을 남겨둔 채 네버엔딩으로 책은 끝이 난다.

내가 생각하는 이 책의 작가가 우리에게 해 주고 싶은 말은 “무조건 동물들보다 인간들이 위대한 것은 아니다 “인 것 같다. 어떨 때는 동물들이 인간들 보다 지혜롭고, 똑똑한 판단을 한다.

나는 마지막에 해리엇이 바다로 가는 장면이 인상 깊었다. 해리엇이 바다로 가면서 바다로 가면서 애써 웃는 모습이 너무 짠했고, 해리엇을 도와주는 동물들의 모습이 너무 아름다웠다. 동물들이 서로 배려해주는 모습이 너무 아름다워 가장 기억에 남는 것 같다. 나는 이 책을 읽으면서 과거에 생각해 보지 못한 것들을 생각해 보게 되었다. 내가 사랑하는 사람이 죽는다면? 무엇을 해주어야 하지 이런 것들을 나도 모르게 생각했던 것 같다. 나는 맨날 좋은 책을 발견하면 아빠에게 소개를 해 주는데, 이 책도 아빠에게 소개를 해주었다. 이 책은 나에게 엄청난 감동을 준 책이였다.

해리엇

윤준호

해리엇이라는 책은 선생님 덕분에 읽게 된 책으로 찰 리가 동물원에 잡혀가 일어나는 일들을 동물에 시점으로 다룬 책이다.

책 내용 중 가장 인상 깊은 장면을 뽑자면 해리엇이 겪었던 이야기를 동물원 속 모든 동물들에게 들려준 장면으로 이야기를 들려주는데 해리엇이 자신에 과거를 회상하는 거 같아 좀 안타까웠고 해리엇이 떠나는 마지막 장면에서 해리엇이 “널 잊지 못할거야 찰리.” 라고 말한 부분이 찰리 해리엇 등등 그동안에 추억이 한 번에 지나가는 느낌이 들었다.

내가 찰리였으면 많이 망설였을 것이다. 해리엇을 보낼 수 있었을까 개코원숭이 무리로 들어가 뭘 했을까 이러한 면에서 찰리가 용감한 거 같았다.

해리엇

한도율

이 책의 내용은 175년이나 산 거북이 해리엇과 집에서 자라다가 다시 동물원으로 돌아간 원숭이 찰리의 이야기이다. 스미스라는 개코원숭이와 찰리가 해리엇을 도와 죽기 전 해리엇의 마지막 소원인 갈라파고스에 가기 위해 도와주는 내용이다.

이 책은 나에게 아무리 힘든 일이 있더라도 끈기 있게 살라는 메시지를 준 것 같다. 나는 이 책에서 해리엇이 스미스와 찰리와 다른 개코원숭이들에게 마지막 힘을 짜내서 웃음을 짓는 장면이 가장 기억에 남았다. 왜냐하면 자신도 힘든 와중에 미소를 날렸다는 점이 자신보다 다른 사람부터 챙기는 점이 감동적이고 멋있게 느껴졌기 때문이다.

만약 내가 스미스였더라면 물론 밖에 세상에서 자유롭게 살면서 마구 놀고 싶었겠지만 어차피 언젠간 잡힐 것이고 많은 위험에 노출되어 있기 때문에 난 돌아갈 것이라고 생각한다.

나는 이 책을 읽고 지금까지 읽었던 책들 중 가장 인상 깊었던 책인 것 같다고 생각했다.

동물들의 우정

최윤서

해리엇이라는 책은 자신의 집에서 잡혀 온 원숭이 찰리와 거북이 해리엇의 이야기이다. 해리엇은 마침내 그렇게 가고 싶었던 그의 고향인 갈라파고스에 가게 된다. 이 책은 사람들이 무조건 동물보다 뛰어난 것도 아니며, 동물들도 존중받아야 한다는 메시지를 담고 있고, 그에 대한 이야기이다.

나는 찰리가 동물원 중앙 문 뚫고 해리엇을 바다로 다시 데려가 주려고 하는 장면이 가장 인상깊었다. 왜냐하면 예전에 해리엇이 찰리를 도와준 것처럼 찰리도 그에 보답하는 것이 멋지다고 생각했기 때문이다.

이 책은 몇몇 동물들이 동물원으로 갈지, 집으로 갈지에 대한 열림 결말이 있는 책이다. 근데 내가 만약 개코원숭이 스미스였다면 나는 숲으로 돌아갔을 것이다. 왜냐하면, 평생 다시 가고 싶었던 고향이고, 그때가 아니면 언제 다시 갈 수 있을지도 모르기 때문이다. 나는 이 책을 읽으면서 불쌍하고 안타까운 동물들이 많이 있다는 생각도 했고, 동물권을 존중 해야겠다는 생각을 했다.

갈라파고스 거북 이야기

한태호

이 책의 줄거리는 동물원에 원숭이 찰리가 들어오고 같은 원숭이인 스미스가 찰리를 괴롭히는 것을 해리엇이 도와주면서 친구가 된다. 스미스는 늙은 거북이였기 때문에 곧 죽음을 앞두었고 고향으로 가고 싶다는 해리엇의 말에 화해한 찰리와 스미스가 도와주게 되는 내용이다.

나는 이 책을 읽고 찰 리가 스미스의 아이를 살리는 장면이 가장 인상 깊었다. 자신을 괴롭히던 스미스의 우리 안이라 무서웠을 텐데 무서움보다 생명을 더 중요시하는 마음이 대단했기 때문이다.

만약 내가 찰리였다면 스미스의 아기를 쉽사리 치료하지 못했을 것 같다. 항상 나를 괴롭히던 동물이 사는 우리 안으로 들어가는 것이 무섭기 때문이다.

나는 이 책을 읽고 앞으론 동물을 볼 땐 사람의 관점이 아닌 동물의 관점으로써 봐야겠다는 다짐을 했다.

갈라파고스섬으로

홍채현

아침 시간에 이 책 해리엇을 친구들과 읽었다. 이 책의 내용은 사람에게 잡혀 온 원숭이 찰리가 다른 원숭이 스미스에게 폭력을 당할 때 해리엇이 도와주고 해리엇이 죽음을 앞두고 자신의 고향인 갈라파고스섬에 가는 것을 찰 리가 도와주는 내용이다.

이 책에서 주는 메시지는 동물들이 우정으로 서로를 도와주는 거 같다. 이 책을 읽으면서 가장 인상 깊었던 내용은 마지막에 해리엇이 자신의 고향인 갈라파고스에 가는 것이 가장 인상 깊었다. 왜냐하면 선생님이 말씀하신 것처럼 마치 현실적이면서 동화 같은 내용이라서 좋았다.

그리고 가장 인상 깊었던 구절은 해리엇이 찰리한테 넌 혼자가 아니야 라고 말한 것이 인상 깊었다. 만약 내가 찰리였어도 그 말을 듣고 똑같이 극복했을 것 같다. 이 책을 읽고 든 생각은 나도 친구들에게 행동이나 말을 제대로 해야겠다는 생각이 들었다.

해리엇

송준엽

해리엇의 줄거리는 원숭이 찰리가 인간들에게 잡혀 동물원에 가게 된다. 그 과정에서 우리를 열 수 있는 열쇠를 훔친다. 그걸 알게된 앞에 우리에 있는 스미스가 열쇠를 뺏으려고 돌로 공격하는 것을 해리엇이 지켜준다. 그 이후 해리엇과 친해져서 해리엇이 죽을 때라도 고향을 보고 싶게 해주고 싶어 다른 동물들과 해리엇이 죽기 직전에 바다를 보여주고 해리엇은 죽는다.

나는 해리엇이 바다를 다시 보며 죽는 장면이 인상 깊었다. 왜냐하면 평생 다시 보지 못할 것 같았던 바다를 죽기 직전에 본다는 것이 감동적이고, 또 슬펐기 때문이다. 이후 뒷이야기에서는 매 해 해리엇을 기억하며 스미스와도 잘 지낼 것 같다. 해리엇은 인간이 동물들에게 주는 고통이 매우 크다는 것을 생각하게 하는 것 같다.

◎ '해리엇'을 읽으며 갈라파고스 거북 해리엇과 원숭이 찰리의 세대와 종족을 뛰어넘은 우정을 느꼈는데요. 여러분들에게 친구란 어떤 존재인가요?

김대현	내가 생각하는 친구는 내 삶에 활력소가 되는 사람이고 함께 놀고 소중한 존재인 것 같다.
노지민	내가 생각하는 친구는 먼저 나를 생각해주고 함께 놀아주는 것이 친구라고 생각한다.
박도현	내가 생각하는 친구는 서로 의지할수 있는 존재이다. 친구는 내가 힘들 때마다 나를 도와줄 수 있는 사람이기 때문이다.
백승범	나는 친구가 소중하다고 생각한다. 왜냐면 같이 놀 수도 있고 기쁠 때 같이 좋아해줄 수 있기 때문이다.
백찬규	나에게 친구란 놀고 장난 치는 것이다. 그걸 안 하면 안 친하다는 거니깐 친구를 하려면 놀고 장난을 쳐야 한다.
송준엽	내 생각에 친구란 인생의 고난과 행복 모두 함께하는 인생에서 가족, 애인 두 번째로 소중한 사람이다. 왜냐하면 가족, 애인한테도 털어놓을 수 없는 일이나 비밀들을 친구한테는 털어 놓을 수 있기 때문이다.
윤준호	내가 생각하는 친구란 곁에서 함께 해주고 슬플 때도 기쁠 때도 곁에서 함께 공감해 주는 것이 친구라고 생각하기 때문이다.
이승진	내가 생각하는 친구란 나와 친하고 말을 하고 같이 놀고 장난을 칠 수 있을 때가 친구이다. 왜냐면 이런 것을 못하면 재미가 없고 친해질 수가 없다
이태현	내가 생각하는 친구는 서로 잘못을 말해주고 가끔씩 의지하고 서로 의리 있게 행동하는 것이 친구라고 생각한다.

정유민	친구는 게임이다. 게임처럼 재밌고 나를 신나게 해주기 때문이다.
정이현	나는 말을 잘 듣는 친구가 좋고 나를 이해해주는 친구가 진정한 친구라고 생각한다.
한도율	나에게 친구란 공감하고 장난치는 존재이다.
한태호	내가 생각하는 친구란 나의 버팀목이 되어주는 사람이다. 내가 힘들 때 나를 도와주는 친구가 진정한 친구이기 때문이다.
강라희	내가 생각하는 친구는 나의 이야기를 잘 들어주는 친구이다. 나의 이야기를 잘 들어주면 서로를 잘 알아갈수 있을 것 같기 때문이다.
김도희	나에게 친구란 서로 의지할 수 있는 존재이다. 서로 힘들거나 기쁠 때 같이 힘들고 같이 웃을 수 있는 친구.
김여경	나에게 친구란 항상 나와 재밌게 놀고 힘들 땐 위로도 해주는 친구가 정말 친구라고 생각한다. 왜냐하면 나에게 도움이 되어야 그 친구에게 기댈 수 있기 때문이다.
김재인	내가 생각하는 친구는!! 함께 있으면 같이 의지할 수 있고, 서로에게 믿음을 줄 수 있는 존재인 것 같다!
김주은	친구란 공감왕이다. 친구가 있어야 어떤 일을 공감해 주고 또 이해하기 때문이다.
박소민	나에게 친구란 기쁨과 행복을 나누는 존재이다.
신민아	친구는 그늘이다. 힘들 땐 기대어 의지할 수 있고 더운 날 그늘이 있어야 쉬었다가 다시 나아갈 수 있듯이 친구는 내가 다시 살아갈 수 있게 해주는 그늘 같은 것이다.

신서윤	내가 생각하는 친구는 언제든지 편안하게 대할 수 있는, 나와 마음이 잘 맞는 존재이다.
신유이	내가 생각하는 친구는 날 존중해주고 내가 우울할 때, 기쁠 때, 즐거울 때 곁에 있어주는 그런 사람이 진정한 친구인 것 같다.
유아린	내가 생각하는 친구는 공감해주고 배려해주는 존재이다.
이지우	내가 생각하는 친구란 밤하늘 위에 있는 별 같은 존재이다. 왜냐하면 별의 크기와 밝기가 다르듯 나의 친구들도 각자의 개성과 장점이 다르기 때문이다.
정수빈	나는 친구란 존재를 정말 소중하게 여기는 편이다. 그래서 내가 생각하는 친구란 단순히 "나와 친한 사람이다" 라고 하기 보단, 나에게 힘이 되어주는 존재 같다.
천유림	친구란 그 무엇과도 바꿀 수 없는 선물이다. 왜냐하면 나에겐 대체할 수 없는 소중한 존재이기 때문이다.
최윤서	내가 생각하는 진정한 친구는 서로의 믿음이 있는 친구이다. 왜냐하면 믿음이 없으면 서로 같이 할 수 있는 것이 없기 때문이다.
홍채현	내가 생각하는 친구란, 나와 장난을 많이 치고 자주 놀아야 될 것 같다.

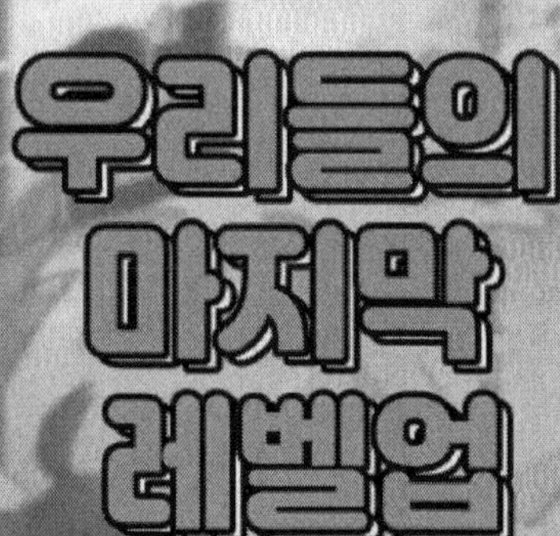

"서버를 폭파 시킬꺼야.."

도와줘.....!

학교에서 괴롭힘을 당하는 '선우'가 유일한 휴식처인 판타지아에서 '원지'라는 친구를 만나게 된다. 하지만 원지는 실존 인물이 아닌 판타지아 속에 가상 인물 이었고, 판타지아에서 사는 것이 행복하지 않다는 것을 느낀 원지는 선우와 함께 판타지아 서버를 폭파하기로 결정한다.

짧은 시간이었지만, 아듀

김주은

이 책의 줄거리는 판타지아라는 게임을 좋아하는 남학생이 판타지아 게임 안에서 사는 여자아이와 둘도 없는 친구 관계를 이루며 서로 의지하고 배려하며 꿈을 응원해 주는 것이다.

인상 깊었던 장면은 판타지아 서버가 폭발해서 연재가 없어지기 전에 "아듀"라고 말하는 장면이다. 왜냐하면 이 별을 하면서 과거의 추억을 떠올리며 인사를 하는 것이 굉장히 슬펐기 때문이다.

나도 원지같이 큰 선택을 스스로 할 수 있는 사람이 되고 싶다는 생각을 했다. 그리고 친구와 함께 하는 모든 것들이 소중하다는 것을 깨달았다.

게임 세상 나가기

백승범

마지막 레벨업을 읽었다. 이 책은 원지의 아빠가 원지를 판타지아 안에서만 살게 해서 원지가 선우의 도움을 받아서 일부로 죽는 내용이다.

나는 마지막에 선우가 원자는 자기 핸들을 자기가 잡고 싶은 거라고 말할 때가 인상 깊었다. 왜냐면 원지는 진짜 다른 사람의 감시 없이 살고 싶었던 것 같기 때문이다.

나는 이 뒤에 선우와 재우가 친구 돼서 범호한테 코인 안 뜯기고 그냥 지내는 내용일 것 같다. 이 책을 읽고 없어질지도 모르는 데 죽음을 선택한 원지가 대단하다고 생각했다. 그리고 나도 선우처럼 내 인생을 살아야겠다고 생각했다.

즐거웠지만 슬펐던 판타지아 속

신유이

오늘 마지막 레벨업 이라는 책을 읽었다. 이 책의 주요 인물은 판타지아에 살고 있는 원지, 그런 원지와 친구가 되어준 선우, 선우를 괴롭히던 범호, 범호의 두 번째 놀잇감 재우, 원지를 아끼는 하상민 대표 등이 있다.

이 책을 읽고 난 후에 가장 기억에 남았던 장면은 원지가 선우에게 여기 갇혀 있는 건 정말 힘들다고 말한 장면이다. 선우는 판타지아가 자신을 편안하게 해주고, 부모님의 압박 속에서 잠시나마 벗어날 수 있게 해주는 유일한 휴식처라 말하지만, 원지는 먹지도, 자지도, 아프지도 않은 판타지아의 영원한 삶은 외롭고, 힘들고, 지치는 삶이라고 말한다. 이처럼 누군가의 휴식처가 또 다른 누군가에게는 지옥이 될 수 있다는 것을 알게 된 것 같다.

이 책의 뒷이야기를 상상해 보자면 선우와 재우는 서로 의지할 수 있는 친구가 되었을 것 같다. 원지가 선우에게 도움을 주었으니 선우도 용기 내어 재우를 도와주었을 것 같다. 또 하상민 대표는 자신의 잘못을 뉘우치고 원지를 잘 보내 주었을 것 같다. 그리고 범호는 좀 정신을 차렸으면 좋겠다. 이 책을 읽은 후 뜻 깊은 책이라 생각했다. 나도 괴롭힘 당하는 누군가를 본다면 절대 가만히 있지 않을 것이다.

선우와 원지의 신기한 판타지아 이야기

송준엽

마지막 레벨업은 우울하고 어둡던 세상을 살던 선우가 판타지아 게임에서 만난 원지와 자신의 꿈을 향하고 극복하는 내용이다.

마지막에 선우와 원지가 서버가 터지기 직전에 작별 인사를 했던 것이 가장 인상 깊었다. 왜냐하면 가장 친하고 좋아하는 친구와 마지막 작별 인사를 할 때 슬퍼 보였기 때문이다.

뒷이야기는 선우와 재우가 모두 범호를 이겨내고 친하게 지낼 것 같다. 나는 선우처럼 부모님이 원하는 삶이 아닌 내가 원하는 삶을 살고 원지처럼 자유분방하게 살고 싶다.

모험과 운명의 마지막 게임

신민아

이 책은 약하고 매일 돈을 뜯기는 선우가 유일한 안식처인 판타지아란 게임에서 원지를 만나게 되며 시작한다. 선우는 원지에게 도움도 받고 매일같이 원지를 생각하게 되었는데 어느 날 원지가 게임 속의 데이터일 뿐 이란걸 알고 당황하지만, 게임 속에서 탈출해 모험을 떠나고 싶어 하는 원지를 돕기로 한다. 그렇게 운명의 날, 선우와 원지는 작별 인사를 하며 이야기는 막을 내린다.

나는 이 이야기 속에서 원지를 아는 세상이 원지를 모르는 세상보다 낫다는 글이 마음속에 남았다. 원지를 보내고 모든 걸 처음으로 돌리고 싶어 하던 선우가 그래도 원지를 아는 세상이 앞으로 나아갈 힘을 준다고 생각한 것 같다. 아마 이 이야기 뒤에는 원지가 선우에게 빛 같은 존재였던 것처럼 이번엔 선우가 재우에게 빛 같은 존재가 되어 줄 것 같다. 나는 나에게도 원지 같은 친구가 있었으면 좋겠다고 생각했다.

원지 같은 친구가 있다면 내가 힘들 때 항상 나를 도와주고 위로해줄 것 같다. 이 책을 읽다 보면 내 인생에 대해 계속 생각하게 된다. 나는 평소 무기력하고 자존감이 낮은데, 앞으론 원지처럼 긍정적이고 남에게 활기를 줄 수 있는 사람이 되고 싶다 이 책을 읽으며 꿈과 인생에 여러 생각을 할 수 있어서 좋았다. 게임과 관련된 책은 읽어 본 적 없었는데 기대한 것보다 재미있었던 것 같다.

재밌었던 판타지아 속 이야기

한도율

이 책은 깡패들에게 돈을 뜯기던 선우가 판타지아에서 사고로 인해 판타지아에서 살게 된 원지를 만나 선우의 자신감이 높아지고 원지는 자유를 찾으려고 판타지아를 폭파하는 내용이다.

나는 이 책에서 지하실 비밀 방에 원지의 뇌만 둥둥 떠 있는 장면이 가장 기억에 남았다. 그 이유는 판타지아에선 그렇게 활발하던 애의 현실이 물속에 둥둥 떠 있는 뇌를 보니까 소름이 끼쳤기 때문이다.

나는 만약 이 책의 2가 나온다면 원지를 잃고 항상 무기력해하던 선우가 언젠가 원지를 다시 만나는 내용일 것 같다. 나는 이 책을 읽고 만약 현실에도 이런 게임기가 나온다 하더라도 하지 않을 것이다. 또 원지와 같은 아이가 나타난다면 선우와 같이 구해주고 싶었을 것 같다.

원지와 함께하는 가상 이야기

이승진

나는 학교에서 마지막 레벨업이라는 책을 읽었다. 이 책은 원지라는 가상현실 속의 사람이 선우와 만나 친해지고 이제 원지는 모험을 떠나겠다며 진정한 죽음을 맞는 이야기이다. 등장인물은 원지, 재우, 선우, 하상민, 엄마, 아빠 등이다.

나는 선우의 마지막 편지가 가장 인상깊었다. 왜냐하면 선우의 편지 내용이 원지가 운전대를 잡게 해달라고 한 점이었는데 이 부분이 인상깊었기 때문이다.

나는 뒤에 재우와 선우가 친해지고 재우와 같이 판타지아에서 재미있게 게임을 할 것 같다. 나는 내가 하고 싶은 건 다 해야겠다는 생각이 들었다. 왜냐하면 선우가 원지에게 고백을 못했다는 게 아쉬워보였기 때문이다. 나는 내 인생을 잘 살고 있는 것 같다.

운명적인 만남. 그리고 마지막

천유림

나는 작년 선생님의 추천으로 이 책을 읽으려 했으나 그때는 이해가 되지 않아서 이번 기회에 다시 한번 읽게 되었다.

이 책은 가상현실게임 판타지아에서 만난 두 사람 선우와 원지에게 일어난 일들을 담은 책이다. 마지막 운명의 날이 지나고 선우가 했던 말이 정말 기억에 남는다. "우리가 만난 세계는 가짜지만 우리가 함께 했던 추억들은 진짜라고. 또 이 세상에서 잊혀지는 건 없다고" 이 말이 너무 와닿았던 것 같다. 운명의 날을 마치고 선우는 영원히 원지를 기억하며 선우 맘속에 있는 원지를 따라 빛나고, 원지는 어떻게 될지 모르지만, 그래도 자신의 선택에 후회는 갖지 않았으면 좋겠다.

사실 이 책의 제목이 마지막 레벨업인 이유가 궁금했는데, 나는 이렇게 생각한다. 레벨업이 꼭 게임에서만 있는 게 아니라 선우가 원지에게 고민도 털고 도움도 받고 서로 협력하는 것이 계속 레벨업 되는 것 같다. 그래서 이제 운명의 날이 지나면 마지막이 되니까 마지막 레벨업 인 것 같다.

또 나는 주인공에게 "선우야 원지와 헤어져서 아쉽겠지만 그래도 원지는 절대 잊히지 않는다고, 지금 너 맘속 원지를 따라 빛난다는 걸 알았으면 좋겠어. 또 재우에게 먼저 다가가는 모습 너무 멋진 거 같아. 앞으로 친한 친구가 되길 바라. 응원해."라고 말해주고 싶다.
처음엔 게임 속에서 영원히 자유롭게 사는 게 마냥 좋을 줄 알았는데 지금의 내 인생을 즐기고 싶다. 또 원지처럼 스스로 원하지 않는 것을 끊을 수 있는 내가 될 거다.

게임의 한계를 넘어서

노지민

마지막 레벨업 이란 책은 선우랑 원지가 게임에서 만나서 같이 게임을 한다. 그러다 시간이 흘러 선우는 원지가 교통사고를 당해서 몸은 죽었고 뇌는 살아서 게임을 한다는 걸 알았다. 그래서 원지로부터 평생 자유롭게 해주려고 판타지아의 서버를 같이 터트렸다.

인상 깊었던 점은 마지막 서버를 터트리는 게 인상 깊었다. 마지막 레벨업의 뒷이야기는 선우가 재우를 도와주고 선우도 새로운 삶을 살 거 같다. 그리고 하상민 대표는 딸이 사라져서 판타지아를 조금 쉴 거 같다.

책 읽고 난 느낌과 생각은 먼저 이 책은 재미있었다. 내가 게임을 좋아해서 더욱 선우가 공감됐다. 그리고 생각은 내가 요즘엔 사춘긴데 너무 막 대한 거 같다. 철들어야겠다.

우리들의 마지막 레벨업

이지우

현실보다 판타지아를 좋아하는 선우가 판타지아 안에 살고 있는 원지를 만나서 친구가 된다. 그러던 어느 날 원지의 아빠 하상민이 선우에게 판타지아에 살아보라고 제안한다. 그러나 자유로워지고 싶은 원지를 위해 부탁을 거절하고 판타지아를 폭파시킬 계획을 세운다. 그렇게 운명의 날이 찾아오고 선우는 폭파하기 직전까지 원지에게 하고 싶은 말을 전하지 못한다.

나는 원지가 자신의 비밀을 말한 부분이 인상 깊었다. 왜냐하면 원지가 선우를 믿게 됐다는 의미이기도 하고 나라면 친구에게 내 비밀을 말하지 못할 것 같기 때문이다. 나는 원지가 판타지아에서 사라진 후 원지의 엄마와 함께 꿈의 세계와 행동을 포함하여 선우를 지켜볼 것 같다.

지금까지의 내 인생을 돌아보면… 원지와 옛날 선우의 삶을 섞은 것? 원지처럼 호기심도 많고 모험하는 것을 좋아하고 옛날의 선우처럼 소심하고 싫다고 잘 못하는 편이라고 나는 생각한다. 물론 친해지면 그냥 원지의 삶과 비슷해진다. 그리고 이 책은 자신의 인생을 자기가 헤쳐나가야 한다는 이야기를 담고 있다. 그래서 나도 내 인생의 운전대를 내 손으로 잡고 싶다.

신기한 모험, 그리고 마지막 레벨업

김여경

이 이야기는 학교에서 괴롭힘을 당하는 '선우'가 유일한 휴식처인 판타지아에서 레벨은 낮지만, 게임은 굉장히 잘하는 '원지'라는 친구를 만나게 된다. 하지만 원지는 실존 인물이 아닌 판타지아에 사는 가상 인물이었고 판타지아 사는 것이 행복하지 않다는 것을 깨닫고 선우와 함께 판타지아 서버를 터트리기로 결정한다.

원지가 엄마 같은 모험가가 되기로 다짐했을 때의 장면이 가장 인상 깊었다. 왜냐하면 원지가 엄마를 본받고 싶어 하는 모습이 드러났기 때문이다. 판타지아의 재탄생을 보며 원지를 떠올리게 될 것 같다.

이 책을 읽고 나서 자식을 위해선 뭐든지 다 할 수 있다는 부모님의 정신이 정말 잘 느껴졌다. 나는 항상 남을 돕고 싶었지만, 그럴 수만은 없다고 느꼈다. 하지만 이 책을 읽고 나 자신을 더 소중하게 여기게 되었고, 자아 성찰을 하게 되었다. 하지만 원지 아빠가 딸을 위한 마음은 잘 드러났지만, 원지가 행복하진 않았기 때문에 좋은 방식은 아니라고 생각했다.

모험의 문

강라희

마지막 레벨업은 주인공 선우가 범호 패거리에게 돈을 빼앗기다가 판타지아라는 가상현실 게임에서 원지를 만나 뇌만 살아있는 원지를 구하고 아듀라는 말을 남기고 떠나는 이야기이다.

나는 이 책에서 원지가 '나는 모험을 떠날 거야'라는 말이 가장 인상 깊었다. 원지가 자신이 죽는 것을 긍정적으로 생각하고 모험을 떠난다고 하는 것이 멋있었기 때문이다.

내가 만약 이 책의 뒷이야기를 상상해 본다면 원지가 죽은 후 선우는 게임 회사를 건설하게 되고 원지를 추억하며 게임의 스토리를 원지와 자신의 이야기로 만들면서 이야기가 끝날 것 같다.

나는 이 책을 읽고 공부를 제쳐두고 게임만 하던 일상을 고쳐야겠다 라고 생각했다. 마지막으로 선우와 원지를 보면서 부모님이 원하는 삶이 아닌 나만의 삶을 살아야겠다고 생각했다.

현실과 게임 사이에 우정

홍채현

가상현실이 좋은 선우와 현실 세계가 좋은 원지가 함께하는 가상현실 게임 판타지아에서 일어나는 우정 이야기이다.

나는 서로 헤어질 때 아듀라고 말한 것이 제일 인상 깊었다. 아듀라고 말한 뒤 헤어지면서 선우는 점점 긍정적이게 살아가면서 자신의 생각을 당당히 말할수 있는 사람이 될 거 같다.

이 책을 읽고 든 생각은 친구 덕분에 세상이 달라질 수도 있다는 생각이 들었다. 처음에 나의 인생은 선우 쪽 같았는데 이 책을 읽고 나서는 자신이 원하는 대로 모험을 펼치는 원지 같은 사람이 되고 싶었다.

◎ '마지막 레벨업'을 읽으며 선우와 원지가 자신이 원하는 삶을 찾아 나서는 모습을 보았습니다. 여러분의 삶에서 중요한 가치는 무엇인가요? 이를 위해 실천하고 있는 모습을 써 봅시다.

김대현	내가 생각하는 가치는 노력이다. 왜냐하면 노력하고 또 노력하면 결국 목표를 이룰 수 있기 때문이다.
노지민	내 삶에서 가장 중요한 가치는 노력이다. 왜냐하면 노력을 하지 않으면 아무것도 할 수 없기 때문이다.
박도현	내 삶에서 가장 중요한 가치는 행복이다. 왜냐하면 행복하려면 수 많은 가치관이 더 필요하기 때문이다. 예를 들어 가족, 돈 노력 다 필요하기 때문이다.
백승범	내가 생각하는 중요한 사치는 행복이다. 왜냐면 일단 내가 행복해야 다른 게 되기 때문이다.
백찬규	내가 생각하는 가치는 용기이다. 왜냐면 용기를 내어 한걸음 한 걸음 다가갈 수 있기 때문이다.
송준엽	내 삶에서 가장 중요한 가치는 행복이다. 왜냐하면 인생에서 행복이 없으면 아무것도 할 수가 없기 때문이다.
윤준호	나의 가치는 포기하지 않는 것이다. 노력하면 안 될 게 없다는 말이 있는데 그 말처럼 나도 포기하지 않고 노력하면 될 거 같기 때문이다. 물론 지금은 자주 포기하는 일이 있지만 지금이라도 노력해야겠다.
이승진	내가 생각하는 중요한 가치는 노력이다. 왜냐면 나는 노력을 안 하면 꿈을 이룰 수 없을 거 같다고 생각하기 때문이다. 나는 축구를 하면서 노력을 하고 있다.
이태현	내가 생각하는 중요한 가치는 긍정이다. 왜냐하면 모든 일은 하기 싫다보다는 할 수 있다는 마음을 가져야 원하는 목표를 이룰 수 있다고 생각하기 때문이다.
정유민	내가 추구하는 가치는 행복이다. 왜냐하면 행복이 내가 좋아하는 감정이고 행복을 느끼는 것이 좋기 때문이다.

정이현	내가 생각하는 가치는 열정이다. 열정이 있어야 끈기있게 할수 있기 때문이다. 나는 열정적으로 공부를 해 성적이 올랐다.
한도율	가족. 가족이 없으면 생활을 제대로 못하기 때문이다.
한태호	내가 가장 중요시 하게 여기는 가장 중요한 가치는 포기하지 않는 끈기이다. 포기하지 않는 끈기만 있다면 뭐든 일어 낼 수 있기 때문이다.
강라희	내가 생각하는 가치는 성실이다. 왜냐하면 성실해야 내가 하고 싶은 일을 할수 있기 때문이다. 나는 지금 성실해지기 위해 노력하고 있는 것 같다.
김도희	내가 생각하는 가치는 행복과 용기이다. 살면서 행복은 가장 중요한 가치이고, 용기는 용기를 내면 모든것에 자신감이 붙는 거 같기 때문이다.
김여경	내가 삶에서 가장 중요하다고 생각하는 가치는 열정이라고 생각한다. 열정적으로 모든 일을 행동해야 내가 원하는 꿈을 이룰 수 있기 때문이다.
김재인	내가 가장 중요하다고 생각 하는 가치는 "노력"이다. 열심히 노력하면 결국 그 목표를 이룰 수 있기 때문이다.
김주은	내 삶에서 가장 중요한 가치 노력이다. 왜냐하면 노력을 하면 다 이길 수 있기 때문이다.
박소민	나는 끈기가 중요하다고 생각한다. 왜냐하면 포기하고 싶어도 끈기가 있으면 다시 한번 일어서서 도전해 볼 수 있기 때문이다.
신민아	나는 열정이 가장 중요하다고 생각한다. 열정적으로 임하면 뭐든 할 수 있기 때문이다.
신서윤	내 삶에서 가장 중요한 가치는 '자유'이다. 제한된 선에서 하고 싶은 것 다 하며 자유롭게 살아가고 싶다.

신유이	내가 생각하는 가치는 자유이다. 자유로운 삶이 곧 행복한 삶이 될 것 같기 때문이다.
유아린	내 삶에서 가장 중요한 가치는 인내심이다. 왜냐하면 인내심이 있어야 뭐든지 포기하지 않고 노력할 수 있기 때문이다.
이지우	내가 가장 중요하다고 생각하는 가치는 '자신감' 이다. 자신감이 없다면 사회에 적응하기 어려울 것 같고 용기를 내서 하고 싶은 말을 할 수 없기 때문이다.
정수빈	나는 '노력'이라는 가치가 가장 소중하고 중요한 가치라고 생각한다. 어떤 결과든 노력이 없으면 만들어 낼 수 없고, 노력이 있어야 실패도 있고, 실패가 있어야 노력이 있는 법이며 결국 성공을 거둘 수 있기 때문이다.
천유림	나는 자유와 나의 행복이 무엇보다 중요하다고 생각한다. 어떤 것이든 내가 행복하지 않으면 아무 소용없다고 생각하기 때문에 나는 엄마의 간섭에도 불구하고 꽤 자유로운 삶을 살고 있다.
최윤서	내가 가장 중요하게 생각하는 가치는 건강이다. 건강해야지 다른 것을 할 수 있고 잘 살아갈 수 있기 때문이다.
홍채현	내 삶에서 가장 중요한 가치는 행복이다. 왜냐하면 행복하지 않으면 모든 일을 다 하기 싫어질 것 같다.

바람을 타고 떠나는 자전거 여행

부모님과의 싸움으로 주인공 호진이는
가출을 결심한다. 갈 곳이 없었던 호진이는
삼촌에게 연락해 자전거 여행에 참여하게
된다. 이렇게 호진이는 자전거 여행
일행들과 긴 여행을 떠난다.
힘든 여행 속 호진이는 성장하게 된다.
여행을 하며 호진이의 행동에
부모님의 생각이 점점 바뀌며 마지막에
호진이의 부탁으로 가족들이
자전거여행을 준비하는 것으로 이야기는
막을 내린다.

자전거로 마주한 인생의 도전과 열정

정수빈

이 책의 주인공 호진이는 매일 싸우는 엄마, 아빠에게서 도망나온 뒤 삼촌에게 가게 된다. 그러면서 호진이는 자전거 순례를 하게 되고, 자전거만의 묘미를 알게 된다.

나는 삼촌이 "도중의 네 엄마 아빠 이야기를 듣고는 난 그저 너를 힘들게 한 것들을 잊고 땀 흘리게 해주고 싶었어. 땀은 고민을 없애주고 자전거는 즐겁게 땀을 흘리게 하지."라는 말이 가장 인상 깊었다. 삼촌이 왜 호진이에게 자전거를 타라고 했는지, 도둑이었던 영규 아저씨에게도 벌을 주지 않고 자전거를 타게 해주었는지도 잘 알 것 같았다.

또한, 이 책에 마지막 부분에서 호진이가 엄마 아빠를 불러, 온 가족끼리 자전거 순례를 떠나려 하는 부분이 있었다. 아마 호진이의 가족은 서로에게 화가 나 있고 미움이 커져 있었을 것이다. 엎친 데 덮친 격으로 호진이까지 집을 나가 호진이 가족은 흩어지기 직전이었다. 하지만 호진이 가족끼리 자전거 순례를 하며, 이 뒤 내용에서는 호진이 가족끼리 자전거를 통해 더욱 돈독해지면 좋을 것 같다.

아울러, 삼촌이 자전거는 고민을 없애 준다는 말에 살짝 의문이 들었다. 나는 호진이와 삼촌처럼 몇 달에 걸쳐 우리나라를 종단하거나 횡단해 본 적이 없어서 삼촌의 말에 의아했던 것 같다.

하지만 내가 좋아하는 일을 하면 고민이 없어지는 것처럼, 호진이 삼촌도 자신이 좋아하는 자전거를 타서 더더욱 그러한 건지도 모르겠다.

호진이와 삼촌의 '삶'에 대해 다시 한번 생각해 보았다. 호진이는 부모님 때문에 집을 나와 얼떨결에 삼촌과 함께 자전거를 타게 되었지만, 부모님과의 화해로까지 이어질 수 있었다. 또한 삼촌은 호진이의 가족에게 버림받는 존재였지만, 자신이 좋아하고 잘하는 자전거를 타며 가정까지 꾸리면서 자신이 원하는 삶을 살고 있었다. 비록 삼촌은 다른 사람이 자신을 어떻게 생각하던, 자신이 원하는 삶을 살고 있었던 거다.

끝으로 나는 호진이, 호진이 부모님, 삼촌, 그리고 이 자전거 순례를 함께 했던 사람들까지의 삶과 마음을 보며 다시금, 나는 어떠한 삶을 살아야 할지도 고민해 보았다. 뜨거웠던 여름, 몇 달간의 자전거 순례를 보며, 나의 몸도 마음도 더 뜨거워졌던 것 같다.

우리의 노력하는 자전거 여행

백승범

불량한 자전거 여행을 읽었다. 이 책은 부모님 사이가 안 좋던 호진이가 삼촌을 따라가서 자전거 여행을 하는 내용이다. 나는 이 책에서 호진이가 끝까지 노력해서 완주하는 부분이 인상 깊었다. 왜냐면 아주 힘든 코스였기 때문이다. 나는 이 책을 읽고 완주를 한 호진이가 대단하다고 생각했다. 그리고 나도 힘들어도 자전거 여행을 해보고 싶다는 생각이 들었다. 또 호진이에게 부모님과 자전거 여행을 하면 사이가 좋아져서 행복한 가정이 될 거라고 말해주고 싶다.

자전거 순례: 사랑과 화해의 여정

박도현

줄거리는 호진이가 엄청 싸우는 아빠와 엄마의 사이를 좋게 하려고 집을 나와서 삼촌과 여자친구에 합류해서 자전거 순례를 한다.

인상 깊었던 점은 아무 생각 말고 자전거나 타라고 삼촌이 말한 부분이다. 왜냐하면 호진이의 생각을 비워주려는 삼촌이 멋있었기 때문이다. 뒷 이야기를 생각해보면 호진이가 엄마와 아빠를 자전거 여행에 참가시켜서 같이 자전거 여행을 할 것 같다.

책을 읽고 나도 자전거 여행을 하고 싶어졌다. 왜냐하면 자전거 여행을 하면 나의 많은 생각들을 다 정리할 수 있을 것 같기 때문이다.

자전거, 우리의 모험

노지민

불량한 자전거 여행이라는 책은 삼촌 따라 자전거 여행을 한다. 처음에는 간식 담당처럼 삼촌을 도와주는 거였는데 어느 순간부터 자전거를 타고 자전거 순례를 마친다.

이 책은 뒷이야기는 부모님과 함께 자전거 여행을 또 할 거 같았다. 이 책의 인상 깊었던 글귀는 "아무 생각 말고 자전거만 타"라는 글귀가 인상 깊었다.

책 읽고 난 느낌은 나 자신을 돌아봤다. 그리고 책 읽고 난 후 생각은 자전거 여행을 하고 싶었다. 호진이에게 하고 싶은 말은 부모님이랑 같이 화기애애하게 지냈으면 좋겠다고 말하고 싶다.

불량한 자전거 여행

이지우

이 책은 호진이네 엄마, 아빠가 싸우게 되어 호진이가 집을 나가며 시작된다. 호진이는 삼촌에게 전화를 걸었고 삼촌은 자신이 있는 곳을 알려주고 찾아오라고 했다. 처음에는 삼촌의 조수 역할이였지만 자전거를 타게 되면서 호진이의 불량한 자전거 여행이 시작된다.

나는 '나와 싸우는 거다. 내 속에 있는 나. 포기하고 싶은 나와 포기하고 싶은 나와 싸우는 거다.'라는 글귀가 인상 깊었는데. 뭐랄까 이 글귀를 읽으면 힘이 나고 포기하고 싶은 마음이 사라지면서 땀을 뚝뚝 흘리며 자전거를 타고 가지산을 오르는 모습이 떠오른다. 이건 시리즈물이라 뒷이야기가 나와 있겠지만 한번 상상해 보자면 호진이의 엄마와 아빠가 자전거 여행을 하다가 호진이를 만나 호진이와 함께 셋이 함께 셋만의 자전거 여행을 하며 가족의 분위기를 다시 회복시킬 것 같다. 이 책을 읽고 나서 호진이에게 여행이란 편안하게 먹고 싶은 음식을 먹는 것 같다. 그러나 나에게 여행이란 가족들과 힘들더라도 즐겁고 기억에 남을 만한 추억을 만들고 새로운 음식 그 지역의 특산물이 들어간 음식을 먹는 것이다. 나는 이 책을 읽고 나서 집을 나가면 힘들기는 하지만 배울 게 없는 것은 아니라는 생각이 들어서 나도 한번 커서라도 친구들끼리 자전거 여행을 가보고 싶다.

불량한 자전거 여행

김여경

이 이야기는 엄마 아빠의 싸움이 지겨웠던 주인공 '호진'이가 삼촌을 따라 자전거 여행을 떠나는 이야기다. 호진이, 엄마 아빠, 삼촌, 자전거 여행 동료들이 나온다.

삼촌이 호진이에게 '아무 생각 없이 자전거만 타. 지금 너한테 이게 필요해.'라는 부분이 가장 인상 깊었다. 왜냐하면 삼촌이 호진이가 힘들었다는 것을 인지한 것 같기 때문이다.

운동을 하게 되면, 마음이 편안해지고 훌훌 걱정을 털어버릴 수 있기 때문에 삼촌이 자전거를 타보라고 제안한 것 같다. 맨 뒤에 호진이의 엄마 아빠가 나오는 것을 보니 뒷이야기에는 엄마 아빠의 자전거 여행을 보게 될 것 같다. 이 책을 읽고 나는 걱정을 털어버리기 위해서 자전거 여행을 한번 떠나 보고 싶다. 또한 자유로운 여행을 떠나는 삼촌과 같이 자유로운 여행을 떠나고 싶다. 호진아 꼭 자전거 여행을 성공하길!

불량한 자전거 여행

김주은

이 책의 줄거리는 호진이라는 아이가 가정 문제와 학업 문제를 이겨 내지 못하고 무작정 삼촌을 따라 자전거 여행을 하며 겪어 보지 못했던 많은 일을 겪게 된다.

가장 인상 깊었던 장면은 호진이가 엄마 아빠가 둘이 만나 순례를 하게끔 이끄는 장면이다. 왜냐하면 엄마 아빠가 둘이 만나 자전거를 타면 땀을 흘리는 것을 원하는 호칭이 마음에 감동이었기 때문이다.

제일 인상 깊었던 글귀는 아무 생각 없이 자전거 못 타이다. 왜냐하면 그 글귀의 뜻을 걱정 날려 버리고 또 왜 흘리라는 것이다. 나도 만약 걱정이 생긴다면 땀을 흘릴 뭔가를 해야 한다고 생각했다 나는 이 책을 읽고 가족이 소중하다는 걸 깨달았다. 그리고 땀을 흘리는 것은 찝찝하고 난 더러운 것이 아닌 나에게 깨달음을 주는 것이라는 것을 알게 되었다.

열린 길 위의 신나는 자유

신민아

이 책은 부모님과 갈등이 있었던 호진이가 가출해 삼촌과 자전거 여행을 떠나며 시작된다. 호진이는 많은 사람과 자전거 여행을 같이하고 땀을 흘리며 여름을 보낸다.

나는 이 책에서 삼촌이 아무 생각 말고 자전거만 타라고 말한 부분이 좋았다. 나도 아무 생각 없이 자전거를 타고 싶어졌다. 아마 이 뒤에, 호진이는 엄마 아빠와 같이 자전거 여행을 떠날 것이다. 서울부터 시작해 비도 맞고 산도 오르고, 함께 시간을 보내며 서로를 이해하게 될 것 같다. 불량한 자전거 여행이라는 제목을 처음 보았을 때, "불량한" 이란 단어와 자전거 여행이 잘 어울리지 않아서 무슨 이야기일지 궁금했다. 또한 이야기가 호진이 시점으로 진행되다 보니 내가 지금 자전거 여행을 하는 듯한 착각이 들었다. 마지막에 여자친구 멤버들에게도 정이 들어 다들 헤어질 때는 내가 괜히 아쉽기도 했다.

나는 여행을 잠시 쉬어가는 것이라고 생각한다. 바쁜 일상 속에 쉬어가는 것은 내일을 다시 나아가게 해주는 것 같다. 만일 내게 자전거로 여행할 기회가 온다면 나는 망설임 없이 도전할 것 같다. 더운 날 햇빛이 쨍쨍 내릴 때, 땀을 뻘뻘 흘리며 뜨거운 바닥을 자전거로 달려보고 싶다, 이 책을 보며, 나는 나고 자유로운 삶을 살고 싶다고 생각했다. 이 책은 내 삶을 다시 돌아볼 수 있게 해주어서 좋은 것 같다.

불량한 자전거 여행

신유이

이 책은 엄마 아빠의 다툼으로 인해 가출해 삼촌 따라 자전거 여행을 가 많은 것을 배워오는 이야기다.

제일 기억에 남았던 장면은 호진이가 아빠에게 엄마한테 삼겹살을 사달라고 했던 장면이다. 호진이가 삼겹살을 먹으면서 기분과 몸이 풀렸던 것처럼 혹시라도 엄마, 아빠도 그렇지 않을까 하는 마음에 둘이 화해했으면 하는 호진이의 심정이 고스란히 느껴졌던 장면인 것 같다. 이 책이 1권, 2권, 3권까지 나와서 뒷이야기를 상상할 순 없지만, 아마 2권은 엄마, 아빠의 자전거 여행 3권은 또 다른 인물의 자전거 여행이지 않을까? 생각한다.

이 책을 읽고 나서 나는 초원에서 건강하게 여행하는 게 꿈인데 호진이의 꿈은 무엇일까 라는 생각이 들었다. 근데 지금 생각해보니 호진이의 꿈은 가족이서 행복하고 사이좋게 사는 것이었던 것 같다. 어쩌면, 나에겐 당연한 것인데 호진이가 좀 불쌍하다는 생각이 들었다. 그래서 더 엄마 아빠 사이가 좋아지길 빌었던 것 같다. 다음에 2권, 3권도 보고 싶다.

불량한 자전거 여행

송준엽

불량한 자전거 여행은 매일 같이 싸우는 엄마, 아빠가 나를 찾아주고 미안해하게 하고 싶어서 무작정 집을 뛰쳐나간 뒤 효진이가 삼촌을 따라 여자친구라는 모임에 있는 사람들과 자전거 여행을 떠나는 내용이다.

인상 깊었던 장면은 여자친구 모임이 목적지에 도착하는 장면이다. 왜냐하면 처음에 무작정 시작해서 중간에 다들 포기해 하고 싶어 했지만 결국 다 극복하고 도착한 것이 대단해 보였기 때문이다.

이 책을 읽고 난 후 안 좋은 일이 많이 겹치면 아무 생각 말고 한가지 일에만 몰두해야겠다고 생각했다. 호진이에게 가족들과 자전거 여행 재미있게 하라고 말해주고 싶다.

불량한 자전거 여행

윤준호

엄마 아빠와 같이 살고 있는 호진이는 엄마 아빠와의 갈등이 심해져 이혼까지 가게 되자 집을 떠나 삼촌에게 가서 자전거를 타며 여행하는 이야기의 책이다.

그 중 인상 깊었던 문장이 있는데 바로 삼촌이 호진이에게 아무 생각 말고 자전거만 타라고 한 것이다. 가출한 호진이가 생각이 많아 보이자 걱정하는 듯한 마음으로 말한 말이 따뜻하게 느껴졌고 아마 뒤에 부분은 엄마와 아빠 사이에 갈등도 줄어들고 문제가 생기면 해결하는 방법도 생겨 잘 해결할 것이다. 그리고 책을 다 읽고 든 생각인데 삼촌처럼 자유를 추구하며 살아도 좋을 거 같다.

불량한 자전거 여행

정이현

불량한 자전거 여행은 호진이가 엄마와 아빠의 싸움에 지쳐 삼촌이 이번 여름에 여는 자전거 여행을 따라가 호진이의 꿈을 찾기 위한 여행을 하는 여행이다.

가장 인상 깊었던 문장은 "아무 생각 말고 자전거만 타."라는 문장이 인상 깊었다 왜냐하면 뒷일을 걱정하지 말고 그냥 아무 생각 없이 자전거를 탄다는 뜻이 인상 깊었다. 이 이야기의 뒷 이야기는 호진이의 가족들이 다같이 가족 자전거 여행을 하며 화해하는 내용인 것 같다.

불량한 자전거 여행

이승진

학교에서 불량한 자전거라는 책을 읽었다. 이 책에 내용은 엄마, 아빠 사이가 안 좋아 호진이가 가출해서 자전거 여행을 하는 내용이다.

나는 호진이가 자전거를 타려고 혼자 가는 장면이 인상 깊었다. 왜냐하면 좀 부러웠다. 나도 내가 하고 싶은 대로 자전거를 타고 놀고 싶었다.

나는 뒤에 호진이와 호진이의 엄마, 아빠와 같이 자전거를 탈 거 같았다. 나는 이 책을 보고 나도 무언가 도전을 해봐야지 라는 생각이 들었다. 나는 나의 인생을 조금 더 자유롭게 살고 싶다. 내 마음대로는 아니지만 그냥 내가 할건 다 하고 내가 하고 싶은 것을 하고 싶다.

나에게로 떠나는 여행

홍채현

무너진 가족, 무작정 집을 나온 호진이 그런 호진이는 삼촌 그리고 자전거 모임 여자친구와 한여름 12일 동안 삼촌의 말대로 아무 생각 없이 자전거만 탄다.

이 책에서 가장 인상 깊었던 말은 삼촌이 무작정 집을 나온 호진이에게 아무 생각하지 말고 자전거만 타라는 말이 다양한 의미를 가지고 있어서 가장 인상 깊었다.

내 생각으로는 뒷이야기는 호진이가 엄마 아빠와 같이 자전거를 타면서 다양한 일들이 생길 것 같다. 책을 읽고 든 생각은 처음에 호진이가 부모님이 싸우는 걸 보고 가출을 하였을 때는 이해가 되진 않았지만, 삼촌과 자전거 여행을 하면서 어떠한 생각으로 호진이가 가출을 하였는지 공감이 되었다.

자전거의 성장

최윤서

이 책은 주인공 호진이가 집을 나가 삼촌과 함께 자전거 여행을 하는 것에 대한 책이다.

가장 인상 깊었던 부분들은 힘겹게 가지산을 오를 때와 인생은 오르막길과 내리막길의 연속이라는 말이다. 가지산을 오르면서 그때는 힘들지만, 오르고 난 후의 뿌듯함을 성취한 것도 기억에 남았다. 역시 인생은 오르막길과 내리막길 중 오직 하나만이 아니라는 것과 힘든 것이 있으면 쉬운 것도 있다는 말도 매우 인상 깊었다.

그리고 나는 다음 자전거 여행을 함께하는 호진이 가족이 같이 자전거를 타며 전보다 더 화목한 가정을 만들어갈 것이라고 믿는다. 나는 호진이가 첫 번째 자전거 여행도 그렇고, 다음 자전거 여행도 잘 마무리해서 그때 배운 것을 잊지 않고 살았으면 좋겠다고 생각한다. 또 나도 자전거 여행을 하면서 인생의 어려움과 또 다양한 것들을 배워보고 싶다고 생각을 했다. 이 여행을 호진이처럼 가족과 같이 자전거 여행을 하면 같이 성장하고 이해할 수 있는 좋은 경험을 될 것이라고 믿는다.

불량한 자전거 여행

이태현

불량한 자전거 여행은 언제부턴가 엄마 아빠가 싸우기만 해서 곧 이혼한다는 소식에 가출을 하려고 한다. 그때 삼촌이 여행한다고 해서 따라갔지만 그것은 여행하는 자전거 여행 친구라는 자전거를 타고 전국을 여행하는 것이다. 삼촌은 진행자였지만 호진이는 처음에 보조를 하다가 나중에는 자전거를 타며 깨달음을 얻는다.

이 책에서는 ‘ 아무 생각 말고 자전거만 타’ 가 인상 깊었다. 그 이유는 부모님이 이혼하려 하자 생각이 많아진 호진이는 마음속의 많은 불안과 걱정이 있었지만 삼촌은 호진이를 자전거를 태워 호진이의 생각이 들지 않게 한 행동이 인상 깊었기 때문이다.

이 책을 읽고 나는 한국사 공부를 했을 때 하루에 6시간씩 공부를 했을 때 너무 힘들었던 기억이 있지만 힘들었을 때 침대에 누워 자지 않고 눈만 감아서 1시간 동안 누워있던 내가 생각났다. 마지막으로 나는 호진이에게 이혼이 걱정되어도 걱정 말고 삼촌처럼 네가 하고 싶은 일을 했으면 좋겠다는 말을 하고 싶다.

나를 위해 떠나는 여행

천유림

나는 5학년 때 독후감을 쓰기 위해 이 책을 읽게 되었다. 근데 이번에 또 일게 되었다 보니 전에 내가 놓친 부분을 더 자세히 읽을 수 있었던 것 같다.

이 책은 부모님 몰래 가출한 호진이가 삼촌과 다른 사람들과 여자친구라는 자전거 여행을 하는 내용이 담겨있다.

삼촌이 호진이에게 "아무 생각 말고 자전거만 타" 라고 했었는데 땀 흘리면서 자전거 타다 보면 호진이의 고민, 걱정, 잡생각들이 다 사라져서 그런 것 같다.

나는 이 장면이 호진이가 마지막에 자전거 여행을 한 번 더 하고 싶어 한 계기가 된 것 같아 인상 깊었다. 뒤에서 호진이는 가족들과 무사히 자전거 여행을 잘 다녀오면 좋겠다.
나도 호진이처럼 지금 나의 불량하고 허탕한 인생에서 벗어나 호진이처럼 한 번쯤은 이런 경험을 해보고 싶다. 또 나에게 여행은 삶에 지친 모두를 위한 선물이라고 생각한다. 그래서 호진이는 부모님께 마음의 문을 연 것 같은데 앞으로의 호진이 인생도 응원하고 싶다.

나도 호진이처럼 내가 주인공이고 내가 계획하고 내가 나를 챙기는 여행, 삶을 살 거다.

자유로운 여행

강라희

불량한 자전거 여행은 호진이네 가족 관계가 무너지고, 호진이는 집을 나가면서 시작된다. 호진이는 무작정 삼촌을 찾아가서 자전거 여행을 가게 되고, 한여름 12일 동안 자전거로 수백킬로를 달렸다. 호진이는 다시 부모님을 만나게 되고, 또 다른 호진이의 자전거 여행이 시작되는 이야기이다.

나는 불량한 자전거 여행 중에서 “여행가요. 찾지마요. 나중에 전화할게요.”라는 말이 가장 인상 깊었다. 왜냐하면 호진이가 엄마에게 혼날 것을 알고도, 당당하게 집을 나간 것이 용감해 보였기 때문이다.

나는 여행이 자유라고 생각한다. 왜냐하면 여행을 가면, 나의 일상에서 벗어나 자유롭게 돌아다니거나, 쉬기 때문이다. 나에게 여행이란 푸른 초원에서 자유롭게 달리는 것이다. 나는 호진이에게 자유로운 진정한 여행을 찾으라고 알려주고 싶다.

자유를 찾아서

김재인

이 책은 학교에서 선생님과 친구들끼리 다 같이 읽은 재미있는 책입니다. 호진이라는 주인공 남자아이가 가족 간에 갈등에 지쳐 삼촌, 다른 사람들과 자전거 여행을 떠나게 되면서 일어나는 흥미진진한 이야기를 담고 있는 책입니다.

호진이는 자전거 여행을 하면서도 부모님과의 갈등 문제를 생각하게 되는데요. 호진이가 힘든 모습을 보이자 삼촌이 "아무 생각 말고 자전거만 타."라고 말을 해주었는데, 이 때 삼촌의 따뜻한 마음과 호진이를 향한 배려심이 나타난 것 같아, 이 문장이 가장 인상 깊었습니다. 책을 읽고 나서, 저도 삼촌처럼, 자유로운 인생을 살고 싶다고 느꼈습니다.

또 호진이의 뒤에 가족관계가 궁금해지기도 했습니다.

제 인생을 뭔가 너무 끌려서, 남들이 하는 것을 따라서 하는 것 같았는데, 이 책을 읽고 저는 삼촌처럼 자유로운 삶을 살고 싶다고 생각했습니다.

또 호진이처럼 나도 자전거 여행을 떠나고 싶습니다.

불량한 자전거 여행

백찬규

이 책은 학교에서 처음 읽었다. 이 책의 줄거리는 호진이라는 주인공이 있는데 엄마와 아빠가 이혼을 하려 해서 집을 나갔다. 그래서 직장도 없고 대학교도 못 다닌 삼촌과 사람들이랑 자전거를 타는 내용이다.

인상 깊었던 글귀는 “하루에 100킬로씩만 가면 돼. 힘들면 10킬로씩만 가도 돼. 그냥 자전거만 멈추지 않으면 돼”이다. 뒷이야기는 가족들과 자전거 여행을 할 것 같다. 책 읽고 난 느낌이나 생각은 나도 자전거 타고 여행 가고 싶다는 생각을 했다. 느낌은 좋은 느낌이다.

호진이에게 하고 싶은 말은 “호진아 자전거 완주 한 거 축하해.”

불량한 자전거 여행

한도율

이 책은 주인공인 호진이가 맨날 싸우는 부모님들 때문에 삼촌한테 가서 자전거 여행을 떠나는 이야기이다.

나는 이 책을 읽으면서 부모님들끼리 싸우는 장면이 가장 기억에 남았다. 왜냐하면 혼란스러워하는 호진이를 보니까 불쌍해 보였기 때문이다. 만약 내가 호진이였더라면 당장이라도 뛰쳐나가고 싶었을 것 같다 이 책이 끝난 후에는 부모님들끼리 싸우지 않고 삼촌도 직업을 찾아 화목하게 지낼 것 같다.

자유를 찾아 떠나는 떠돌이 이야기

한태호

이 책의 줄거리는 무너진 가정에서 집을 나온 호진이가 자전거 여행을 주도하는 삼촌에게 무작정 찾아가 따라나선 자전거 여행에서 아무 생각 없이 달리며 가족과 조금씩 가까워지는 내용이다.

나는 이 책에서 "하루에 백 킬로씩만 가면 돼. 힘들면 오십 킬로만 가도 되고 더 힘들면 십 킬로만 가는 거야. 멈추지만 않으면 돼"라는 말이 가장 인상 깊었다. 포기하지 않으면 어디든 갈 수 있다는 말로 들렸기 때문이다.

만약 뒷이야기를 상상해 본다면 가족들과 함께 자전거를 타면서 서로 고민을 말하며 갈등을 해결하고 사이좋은 가족이 될 것 같다.

나는 이 책을 읽고 진정으로 내 자유를 펼치고 있는지 생각해 보았다. 아직 어리기 때문에 온전한 내 자유를 펼칠 순 없지만 호진이를 보며 내 자유를 펼칠 기회는 지금도 앞으로도 많다는 걸 느꼈다.

성장하는 호진이의 자전거 여행

박소민

불량한 자전거 여행은 엄마와 아빠의 갈등으로 집을 나와 삼촌과 자전거 여행을 가게 된 호진이의 이야기이다.

이야기 중에 '오르막길이 길었던 만큼 내리막길도 길었다.'라는 말과 '내 속에 있는 나, 포기하고 싶은 나와 싸우는 거다.'라는 말이 내가 노력한 만큼, 그에 따른 보상이 있고, 포기하고 싶을 때 더 끈기가 있게 만들어준 것 같아 인상 깊었다. 처음엔 자전거 여행일지 같은 형식인 줄 알았는데 이야기 형식에 포기를 하지 않고 무언가를 더 끈기가 있게 만들어주는 구절이 있어서 그냥 자전거 여행책보다 더 뜻깊었다.

마지막에 호진이가 엄마와 아빠에게 자전거 여행을 하라고 한 후 호진이와 엄마 아빠가 부산으로 갈 때의 이야기가 2편에 나올 것 같은데 엄마와 아빠가 자전거를 타며 고생도 하고 속마음을 다 털어놓으며 사이가 좋아질 것 같다.

이 책을 학교에서 온 책 읽기로 읽으며 작가님인 김남중 작가님도 뵙고 질문도 드려봐서 재밌고 기억에 남는 것 같다. 앞으로 나의 진로를 생각해 가보면서 공부를 끈기가 있게 해보고 싶다!

불량한 자전거 여행

신서윤

이 책은 주인공 호진이의 부모님이 호진이에게 공부를 강요하고, 서로 뜻이 맞지 않아 이혼하려는 과정에서 호진이에게 의견을 물어보지 않아 속상해서 집을 나가 삼촌이 하는 자전거를 타는 크루인 여자친구 (여행하는 자전거 친구)에 합류하게 된다.

나는 영규 아저씨가 트럭을 훔치고 난 후 삼촌이 들려주는 도둑질을 한 이야기와 "왜 시디플레이어를 훔친 이유를 물어보지 않았는지"에 대해 이야기하는 장면이 제일 인상 깊었다. 만약에 훔친 이유를 삼촌에게 물어보았다면 삼촌의 인생은 달라졌을까? 인생이 걸린 큰 문제를 말 한마디로 바꾸다니…. 말 한마디가 천냥 빚을 갚는다는 말이 어떤 말인지 알 것 같다.

호진이는 부모님과 만난 후에는 더욱 의견을 확실하게 말하고 부모님이 시키는 대로 하는 삶이 아닌 자신만의 삶을 살 수 있게 될 것 같다.

나도 호진이의 미래처럼 내가 원하는 것을 확실하게 말할 수 있을 때가 오면 좋겠다. 이런 날이 바로 오지는 않더라고 여러 경험들을 발판 삼아 언젠가는 내가 원하는 삶을 살 수 있지 않을까 싶다.

자전거로 만나는 새로운 세상

김대현

이 책은 주인공인 호진이가 집을 벗어나서 자전거 모임에 가게 되는데 그곳에서 자전거를 함께 타고 여행을 가게 되는 이야기이다.

가지산을 오르고 내리막을 달리는 것이 인상 깊었다. 왜냐하면 힘들게 가지산을 오른 다음 즐겁게 내리막길을 내려가는 것처럼 고생하면 결국 그 결과가 있다는 생각이 들었기 때문이다. 마지막에 엄마와 아빠의 순례가 시작된다고 하는데 엄마와 아빠가 같이 순례하고 이제 아빠와 엄마가 서로 사이가 좋아져서 같이 집으로 돌아갈 것 같다.

나도 호진이가 자전거 여행을 하는 것을 보고 자전거 타고 여행을 한 번쯤은 가보고 싶어졌고, 지금 자전거가 없어서 타질 못하는데 엄마한테 내년엔 사달라고 하고 싶어졌다.

호진이에게는 네가 자전거 여행을 하는 걸 보고 나도 타고 싶어졌다고 말해주고 싶다.

이 책이 2권 3권도 있는 것 같던데 한번 2, 3권도 읽어보고 싶다.

불량한 자전거 여행

김도희

불량한 자전거 여행은 신호진이라는 아이의 엄마, 아빠에게 관심도 없어 보여서 못난 삼촌에게 가서 자전거 여행을 하게 되는 이야기다. 이 책에 한 아저씨가 나오는데 그 아저씨가 암에 걸렸다. 자신이 좋아하는 마지막 자전거 여행일지도 모른다는 말이 인상 깊었다. 나는 호진이의 엄마 아빠가 다시 사이가 좋아져서 셋이 다 같이 자전거 여행을 할 것 같다. 이 책을 끝까지 읽고 나서 삼촌의 삶이 되게 자유롭고 즐겁게 산다고 느꼈다. 그래서 삼촌처럼 나도 자유롭고 즐겁게 살고 싶다는 생각이 들었다.

◎불량한 자전거 여행을 읽으며 우리도 호진이와 함께 자전거 여행을 한 기분인데요. 여러분들은 커서 어떤 여행을 해보고 싶은가요?

김대현	여행은 가족과 함께 자전거를 타고 서울까지 가는 여행을 해보고 싶다. 왜냐하면 책에서 호진이를 보고 나도 자전거여행을 하고 싶기 때문이다.
노지민	나는 취업을 하고 성인이 된 후 가족과 함께 이탈리아로 여행 가고 싶다. 이탈리아에서 콜로세움도 보고 피사의 사탑도 볼 것이다. 왜냐하면 다같이 해외여행을 간 적이 없어서 이다.
박도현	나는 내 가족들과 내가 성인일 때 제주도로 여행가고 싶다. 왜냐하면 내가 성인이면 부모님들은 연세가 많으실거고 해외여행은 거추장스러울것 같기 때문이다.
백승범	나는 혼자 세계여행을 해보고 싶다. 왜냐면 가족이랑은 많이 가봤는데 혼자는 한번도 안 가봤기 때문이다.
백찬규	자전거는 가족이랑 타고 싶다. 왜냐면 가족은 내가 커서 자전거를 타자고 하면 연세때문에 못하기 때문이다.
송준엽	나는 내가 성인이 되기 전에 가족들 아니면 친구들과 한국의 곳곳을 모두 돌아다녀보고 싶다. 왜냐하면 해외여행을 다니기 전에 먼저 우리나라의 모든 곳을 돌아다녀 보는 게 먼저라고 생각하기 때문이다.
윤준호	내가 해보고 싶은 여행은 그냥 산 정상으로 올라가 부모님과 맑은 하늘 공기를 마시며 하늘을 바라보는 것이다. 왜냐면 힐링 하는 목적으로 여행하는데 큰 돈을 들여 해외 여행...그런건 싫다. 그냥 부모님들과 같이 잡담을 나누며 마음을 편히 하는 게 최고 같다.
이승진	내가 해보고 싶은 여행은 그냥 해외여행이다 나는 프랑스에서 가족과 함께 에펠탑을 보고 축구도 보면서 이강인을 만나고 싶다. 왜냐면 가족이 여행을 가고 싶어 하고 나는 축구를 보고 싶기 때문이다.

이태현	내가 원하는 여행은 세계의 많은 나라의 아름다운 자연을 친구들과 보는 여행을 하고 싶다.
정유민	어른이 되서 가족과 친구들과 우주여행을 하고 싶다.
정이현	나는 어른이 되어 친구들과 세계일주를 하고 싶다.
한도율	가족들과 서울까지 자전거 타고 여행하고 싶다. 가족이랑 있으면 행복해서이다.
한태호	나는 미국에 가서 타임 스퀘어를 가족과 함께 가서 주변 건물들을 구경하고 싶다.
강라희	나는 친구와, 유럽에서 계획 없이 자유롭고 한가하게 여행하고 싶다. 계획이 없으면 더 그 여행지를 느낄 수 있기 때문이다.
김도희	나의 가장 친한 친구와 단둘이 해외로 여행을 가서 자전거를 타면서 여행을 하고 싶다.
김여경	내가 해보고 싶은 여행은 인천에서 서울까지 정도의 거리로 자전거 여행을 떠나고 싶다. 불량한 자전거 여행처럼 정말 긴 코스는 도저히 못할 것 같고 인천에서 서울까지가 적당한 것 같다.
김재인	나는 어른이 되어서 나의 엄청~! 친한 친구들과 다 같이 해외로 여행을 가보고 싶다~><
김주은	나는 친구들과 세계일주를 하고 싶다. 왜냐하면 혼자나 가족이랑 하는것도 좋지만 친구들과 하는 것이 더 뜻 깊을거 같고 더 추억이 될 거 같기 때문이다.
박소민	내가 해보고 싶은 여행은 해외로 가서 한 달 살기이다. 보통 우리가 간 여행이 그렇게 길지 않아서 항상 마무리가 아쉬웠기 때문에 더 길게 가보고 싶다.
신민아	나는 친구들과 해외여행을 가보고 싶다. 우리나라에선 볼 수 없는 광경을 친구들과 즐겨보고 싶다.

신서윤	나는 친구들과 세계 여행을 가보고 싶다. 내 발길이 닿는 곳 어디든지 계획 없이 다니면서 좋은 추억을 만들고 싶다.
신유이	국내를 내 친구 한 명과 여행하고 싶다. 둘 이상이면 갈등이 생길 것 같으니 두명이서 가고, 해외 여행을 가면 외국인과 대화가 안 될 것 같아 국내 여행을 가고 싶다.
유아린	대학생이 되고 나서 친구들과 제주도에 여행을 가서 팬션에서 놀고 싶다. 왜냐하면 친구들과 여행 가보는 것이 버킷리스트이고, 제주도에서 친구들과 바다에서 수영도 하고 감귤 농장에서 귤도 따보고 싶기 때문이다.
이지우	나는 돈을 많이 들이고 멀리 떠나는 해외여행보다는 가까운 국내에서 공기가 좋고 자연과 어우러진 곳에서 자유롭게 캠핑을 하고 캠프파이어를 하면서 평소에 말하지 못했던 감정들을 말하는 시간을 갖고 싶다.
정수빈	나는 내가 20대가 되었을 때, 그때 가장 친한 친구와 함께 미국을 여행하고 싶다. 지금 가장 가보고 싶은 여행지가 미국이기도 하고, 열심히 공부한 뒤 대학을 들어가 나에게 주는 보상처럼 미국에 가고 싶다. 미국 거리를 다니며, 미국 현지인들과 영어로 대화하며 미국 거리를 걸어보고 싶다.
천유림	나는 내가 중요한 시험을 치르는 날 시험이 끝나자마자 해외로 당일치기 여행을 가보고 싶다. 시험에 대한 압박감과 스트레스를 이겨내고자 하루동안이라도 지친 나를 위한 선물같은 여행을 떠나보고 싶다.
최윤서	나는 아무에게도 방해받지 않고 혼자서 유럽 여행을 하고 싶다.
홍채현	내가 하고 싶은 여행은 그냥 아무 생각 없이 친구나 가족들과 노는 여행이다.

열두살의 사랑이 훅!

박담, 신지은, 엄선정은 친한 반 친구이다.
박담은 소꿉친구 김호태가 갑자기 좋아진다.
하지만 신지은도 남몰래 김호태를 마음에 두고 있었다.
삼각관계에 놓인 세 사람은 행복할 때도 슬플 때도 있다.
공부를 잘하는 반장 엄선정은 운동을 잘하는 이종수와 사귄다.
엄선정과 이종수는 서로 바라는게 달라 다툼이 생겨난다.
다섯 명의 아이는 사랑을 통해 무엇을 배우게 될까?

찬란한 우정

강라희

사랑이 훅! 은 6명의 아이가 서로 사랑하는 이야기이다. 나는 이종수가 엄선정을 차는 장면이 가장 인상 깊었다. 왜냐하면 이종수가 당당하게 엄선정을 차고 간 것이 멋있었기 때문이다. 그리고 등장인물 중에서 신지은이 가장 공감된다. 지은이는 자기의 마음을 인형 밍밍이에게 이야기하는 것이 공감되었기 때문이다.

내가 생각한 뒷이야기는 6명의 친구가 각지 살길을 살다가 다른 아이와 사귀고, 늙어서도 계속 친한 친구로 남는 이야기이다. 나는 이 책을 읽으면서 서로를 있는 그대로 사랑해야겠다고 생각했다. 내가 바라는 LOVE는 서로를 떳떳하게 생각하고, 사랑하는 LOVE이다.

사랑이 훅

김여경

이 이야기는 5학년이 된 5명의 친구와 중학교 1학년 오빠가 함께하는 사랑 이야기다.

등장인물은 박담, 박겸, 이종수, 엄선정, 김호태, 신지은이 나오고 박담, 김호태와 이종수, 엄선정이 서로 커플로 나오게 된다. 여기서 인상 깊었던 장면은 이종수와 엄선정이 헤어지는 장면이 가장 인상 깊었다. 왜냐하면 모든 것이 완벽한 엄선정이 이종수에게 무너졌다는 것이 엄선정에게도 약한 점이 있다고, 사람은 항상 완벽할 수만은 없다는 걸 깨달았다.

나는 약간 엄선정과 비슷한 것 같다. 모든 것을 완벽하게 해내려고 노력하지만 그렇지만은 않기 때문이다. 이 이야기 뒤에는 엄선정이 이종수에게 다시 고백할 것 같다. 엄선정은 이종수를 계속 좋아하고 있고, 아쉬워하고 있으니 고백을 할 것 같다. 이 책을 읽고 엄선정과 박담이 가장 불쌍하다고 느꼈다. 시즌 2가 나온다면 시즌 2에서는 둘이 꼭 이어졌으면 좋겠다.

사랑이란

신민아

이 책은 박담, 김호태, 신지은, 엄선정, 박겸, 이종수 6명의 이야기이다. 이야기 속 아이들은 사랑을 겪고 사랑에 대한 시련과 맞닥치게 되며 자신의 길을 선택한다.

나는 담이와 호태가 감나무 밑에서 작별 인사를 하는 장면이 기억에 남는다. 담이와 호태의 추억이 남은 아파트의 감나무에서 마지막으로 인사를 하는 것은 낭만적인 일인 것 같다.

나는 등장인물 여섯 아이 중에서 신지은이 가장 와닿았다. 지은이가 호태를 정말 좋아했지만 결국 전하지 못하고 혼자 마음을 썩인 게 안타깝다. 우정과 사랑 사이에서 이도 저도 못 하는 게 마음이 갔다. 나는 마지막에 지은이가 우정을 고른 게 솔직히 멋있다고 생각했다.

담이가 미울 만한데도 받아드리는 게 힘들었을 텐데 정말 고민을 많이 하고 마음이 아팠을 것 같다. 아마도 이 이야기 뒤에도 박담과 김호태는 서로를 믿고 좋아할 것 같다. 거리는 멀어지고 자주 만날 수도 없게 되었지만, 마음은 여전히 서로를 마주 보고 있을 것이다.

하지만 엄선정과 이종수는 다시 사귀지 못할 것 같다, 이미 이종수의 마음은 저 멀리 가버린 것 같다. 나는 이 책을 읽고 사랑에 대해 많이 생각하게 되었다. 나도 사랑을 하고 싶단 생각을 했다. 만약 내가 사랑을 할 수 있게 된다면 나는 서로 오래 함께할 수 있는 사랑을 하고 싶다. 이 책을 풋풋한 사랑 이야기라서 좋다. 나는 사랑 이야기를 별로 좋아하지 않는데 이 책은 엄청 재미있게 봤던 것 같다.

우리의 사랑

백승범

사랑이 훅이라는 책을 읽었다. 이 책은 여섯 아이들이 사랑하는 이야기다. 나는 이 책에서 엄선정이 이종수한테 차이는 장면이 인상 깊었다. 왜냐면 공부 잘하는 엄선정이 찰 것이라고 생각했는데 이종수가 그만하자고 했기 때문이다. 나는 왠지 이종수랑 비슷한 것 같다. 왜냐면 공부하기 싫은데 계속 학습지 만들어서 주면 걔를 좋아해도 싫어질 것 같기 때문이다. 나는 이 뒤에 엄선정이 그냥 이종수한테 고백해서 사귈 것 같다. 그리고 박담이랑 김호태는 계속 잘 지낼 것 같다. 나는 이 책을 읽고 내가 만약 여자친구가 생기면 잘해줘야겠다고 생각했다. 나는 나중에 너무 돌아다니지 않고 같이 농구나 하면 좋겠다.

사랑이 훅

이지우

이 책은 박담, 신지은, 엄선정, 김호태의 우정 사랑 이야기이다. 5학년 여름방학 엄선정은 우연히 같은 반인 이종수가 농구를 하고 돌아오는 모습을 보고 종수에게 반해 서로 사귀게 된다. 그리고 오랜 소꿉친구였던 호태와 박담도 서로 사귀게 되는데 종수를 계속 바꾸려고 하는 선정이와 그런 선정이의 강요가 싫었던 종수가 서로 갈등이 생겨 헤어지게 되고 혼자 호태를 짝사랑했던 지은이도 박담과 호태가 사귄다는 사실을 알게 되어 큰 충격에 빠지지만, 그 충격에서 벗어나 호태를 잊고 우정을 지킨다.

나는 신지은이 박담에게 생일선물로 피아노 대회에서 찍은 사진을 주는 장면이 인상 깊었다. 왜냐하면 신지은이 사랑보다 우정을 지키기 위해 호태를 잊으려고 노력하는 게 눈에 보였기 때문이다. 또한 사랑했던 사람이 자신과 가장 친한 사람과 사랑에 빠진다면 큰 충격에 빠질 법도 한데 지은이의 정신력이 강한 것 같다. 나는 '박결' 이라는 캐릭터가 중요한 역할을 맡고 있다는 생각이 드는 데 고민이 없고 다른 사람의 고민을 잘 들어주고 해결해주는 사람. 나도 그런 사람이 되었으면 좋겠다.

그리고 내가 만약 진형민 작가님이 된다면 내심 호태와 박담이 헤어지고 지은과 겸이 이어졌으면 좋겠다. 또한 이 책을 읽기 전에는 '아, 뭐 그냥 뻔한 학원 연애물 이겠지'라는 생각했지만,

생각보다 더 재미있고 흥미진진했다. 만약 내가 연애를 하게 된다면 나는 키 크고 잘생기고 츤데레였으면 좋겠다. 또 고양이상에다가 볼이 통통하고 연상이거나 동갑이면 좋겠다. (너무 꿈에 그리는 남친일까??)

사랑이 훅

한도율

이 책의 내용은 주인공인 박담, 신지은, 김호태, 엄선정, 이종수 등의 5학년 친구들의 연애 이야기이다. 나는 이 책을 읽으면서 이종수가 엄선정을 차는 장면이 가장 기억에 남았다. 왜냐하면 엄선정은 이종수를 위해 수학 학습지도 준비하고 공부를 가르쳐줬는데 한순간에 차인 모습이 안쓰러워 보였기 때문이다. 또, 나는 이 책을 읽으면서 이종수가 공감 가는 것 같다. 왜냐하면 엄선정이 너무 잘해주면 부담스러울 것 같기도 하고 수학 문제를 풀기 싫을 것 같기 때문이다. 이 책이 끝난 후 신지은도 호태에게 고백하지만 차이고 박담에게 사실을 알려주어 서로 싸울 것 같다.

내가 바라는 LOVE는 서로 마음이 잘 통하고 친절하게 대해주는 것이다. 또 서로 장난도 많이 치며 맛있는 것도 나누어 먹는 것이다.

사랑이 훅

신유이

 오늘 < 사랑이 훅 >이라는 책을 읽었다. 이 책은 6명의 5학년 친구들이(한 명은 중2)
사랑에 대한 걸 알아가는 이야기이다. 나는 이 책에서 박담한테 공감이 됐던 것 같다. 조금 털털한 성격이 나와 닮았고, 만약 나도 남친이 있었다면, 무조건 여자를 남자가 지켜야 한다는 편견의 불만을 느끼고 나는 내가 지킬 거라고, 너는 네가 지키라고 말했을 것 같다. 가장 인상 깊었던 장면은 종수가 선정이에게 헤어지자고 말하는 장면이다. 다른 친구들은 선정이는 공부를 잘하고 종수는 공부를 못하니까 당연히 선정이가 종수를 이끌어 준다고 생각하고 있다.
그러나 정작 "연인"이라는 사이에서 이끌어 주는 것은 종수였던 것 같다. 내 생각에 선정이는 연애 고자인 것 같다. 또 반면에 종수는 연애 고수인 것 같다. 선정이는 연애가 처음이라, 종수를 자신에게 맞추려고 한 것 같고, 종수는 그런 선정이를 더 배려해 주고 더 공감해준 것 같다. 뒷이야기를 상상해 보자면 종수는 다시 선정이와 사귀게 되고 담이와 호태는 조금은 멀어졌을 것 같다. 지은이를 위로해주는 박겸이는 지은이와 자연스럽게 사귀게 될 것 같다. 그리고 선정이는 종수를 더 배려하고 생각하게 되었을 것 같다. 사랑이 훅이 2가 나온다면 제일 먼저 살 것 같다.

나는 별로 네버엔딩을 좋아하지 않기 때문이다. 이 책은 나를 여러 감정이 들게 하는 책이었다. 나는 나중에 날 다정하게 대해주는 남자와 사귀고 싶다.

사랑의 실루엣

노지민

사랑이 훅이라는 책은 먼저 5학년이 된 주인공들의 사랑 이야기다.
인상 깊은 장면은 이종수와 엄선정이 헤어진 장면이 인상 깊었다. 이유는 이종수를 바꾸려고 한 엄선정이랑 헤어져서 잘됐다고 생각해서 인상 깊었다. 나는 등장인물 중 박담이랑 호태가 멀어진 게 안타까웠다. 이 책의 뒷이야기는 이종수랑 엄선정은 평범하게 살 거 같다. 박담이랑 김호태도 여전히 사귈 거 같다. 전체적 생각은 사귀는 것은 힘들다고 생각했고, 이 책의 느낌은 먼저 재미있었고 흥미진진했다. 나는 성격이 좋은 사람과 사귀고 싶다.

초딩 연애 거기서 거기

천유림

나는 친구의 추천으로 이 책을 읽으려 했으나 그땐 재미가 없어서 안 읽었다. 그래서 이번 기회에 더 재밌게 읽었다. 이 책은 천진난만 10대들의 달콤하고 눈물겨운 연애 스토리가 있는 책이다.

나는 엄선정과 이종수의 연애 이야기를 보고 진짜 사귀는 게 무엇인지 생각해보았던 것 같다. 나는 내 친구가 나를 고치려고 하는 것도 기분이 나쁜데 그걸 나의 남자친구가 한다고 하면 당연히 호감이 떨어지고 헤어지고 싶을 거다.

그리고 나는 뒤에서 이 친구들이 지금은 그냥 <친구>로만 지내고 나중에 연애했으면 좋겠다. 내가 해봐서 아는데 사귀는 것도 한순간이고 잠깐, 헤어지는 것도 한순간이어서 이런 생각과 행동을 하는 에너지와 시간이 너무 아깝기 때문이다. 그래서 이 친구들도 이성 친구를 기획하기보단 지금의 친구들을 먼저 생각하고 일단 현재를 즐기면 좋겠다.

이제 사춘기가 되면서 이 친구들뿐만 아니라 내 주변 친구들도 이성 관계에 눈을 뜬 것 같은데 건전한 이성 관계를 유지하길 바란다.

사랑이 훅

김주은

이 책의 줄거리는 단짝 친구 박담, 신지은, 엄선정이 5학년이 되고부터 조금씩 연애 감정을 알아 가는 이야기다. 인상 깊었던 장면은 지은이와 호태가 사귀는 사이라는 것을 알고 밍밍이를 안으면서 우는 장면이다. 왜냐하면 의지할 사람이 없어 자신의 인형에게 기대며 의지하는 모습이 불쌍했기 때문이다. 그리고 난 이 책의 등장인물 박담이 본받고 싶었다. 박담처럼 운동을 좋아하고 열심히 하는 게 멋있기 때문이다.

사랑이 훅

송준엽

사랑이 훅의 줄거리는 박담과 호태, 그리고 엄선정과 이종수, 신지은의 연애, 짝사랑, 우정 이야기이다. 사랑이 훅의 인상 깊은 장면은 이종수가 엄선정을 차는 장면이다. 왜냐하면 작중에서 엄선정이 문제집을 직접 만들어 줄 정도로 이종수가 공부를 잘하게 하려고 노력하고, 이종수도 그 문제집을 열심히 풀다가 갑자기 이종수가 헤어지자고 했기 때문이다. 나는 이 책에서 박담이 가장 공감된다. 왜냐하면 7살 때부터 같은 아파트 살다가 한 순간에 없어지면 허전하고 우울할 것 같기 때문이다. 뒷이야기는 박담과 호태는 계속 이어지고 신지은은 그냥 좋은 친구로 남을 것 같다. 이 책을 읽고 초등학생들의 연애라도 복잡한 관계와 우정, 사랑이 있는 것 같다고 생각했다.

사랑이 훅

이승진

나는 이 책을 학교에서 읽었다. 이 책은 사랑 이야기를 다루고 있으며, 주요 등장인물은 김호태, 박담, 엄선정, 이지은, 박겸, 이종수이다.

특히, 엄선정이 이종수에게 수학을 가르치는 장면이 인상 깊었다. 그 장면에서 둘 사이에 특별한 감정이 느껴져, 향후 이 두 인물이 어떻게 발전해 나갈지 기대된다.

하지만 나는 왜 5학년 때 사귀는지, 그리고 왜 이후에 헤어지고 슬퍼하는지에 대해서는 이해가 되지 않았다.

내 이상형은 이기적인 것을 제일 싫어하며, 키는 작아도 상관없고, 상대방이 내 이야기를 잘 들어주고 착하며 장난기 있고, 운동에 관심이 있어도 상관없다.

◎ '사랑이 훅' 속 담이와 친구들의 간질간질한 사랑 이야기를 즐겁게 읽었지요? 책을 읽으며 상상한 '내가 바라는 첫사랑과의 첫 연애'는 어떤 모습인가요?

김대현	나는 나중에 나를 진심으로 사랑해주고 또 존중해주는 착한 사람을 만날 것이다.
노지민	나를 존중해주고 사랑해주는 사람을 만나고 싶다.
박도현	서양사람과 좋은 연애를 하고 싶다.
백승범	나는 취미가 맞는 사람과 연애를 하고 싶다.
백찬규	나를 믿는 사람과 연애를 하고 싶다.
송준엽	나를 사랑해주고 돈이 많고 예쁘면 좋겠다.
윤준호	나만 바라봐주며 함께 공감해주고 맘씨 좋은 사람을 만나고 싶다
이승진	나는 연애를 안 할 것이다.
이태현	나는 나를 이해해주고 나를 진심으로 사랑해주는 사람과 연애를 할 것이다.
정유민	나의 이야기를 경청해주는 사람과 이야기를 많이 나누고 싶다.
정이현	평범하고 착한 사람을 만나고 싶다.
한도율	저를 진심으로 대해주고 장난도 많이 치는 사람과 만나고 싶다.
한태호	내가 바라는 연애는 서로가 서로의 버팀목이 되는 연애이다.

강라희	내가 바라는 연애는 서로를 존중하며 서로의 버팀목이 되는 연애이다.
김도희	나를 진심으로 사랑해주고 서로 힘들 때 의지 할수 있는 사람과 연애를 하면 좋겠다.
김여경	나를 진심으로 좋아해주고 힘들 땐 의지할 수 있는 사람과 만나고 싶다.
김재인	나만 바라봐주고, 서로의 신뢰, 믿음이 있는 사람을 만나고 싶다!
김주은	풋풋하게 친구같은 연애가 좋을 거 같다.
박소민	나를 진심으로 사랑하는 사람과 연애를 하고 싶다.
신민아	나는 서로를 이해해주고 편한 연애를 하고 싶다. 나를 존중해주는 사람과 연애를 한다면 더할 나위 없이 행복할 것 같다.
신서윤	나는 나와 마음이 잘 맞고, 날 배려해 주는, 키가 크고 잘생긴 사람과 연애해 보고 싶다. 첫 데이트는 카페에서 초코라떼 마시고, 인생네컷 찍으며 놀아야지!
신유이	나는 나만 바라봐 주는 사람과 첫 연애를 하고 싶다.
유아린	나의 이야기를 공감해주고, 친절하고, 기념일도 잘 챙기는 사람을 만나고 싶다.
이지우	내가 바라는 첫사랑은 너무 꿈 같긴 하지만, 키가 크고 고양이 상에 볼이 통통했으면 좋겠다. 물론 내 기준 잘생긴 것까지 포함하고, 동갑 또는 연상인 남자 친구를 사귀고 싶다. 그리고 츤데레였으면 좋겠다...거기다가 나를 진심으로 사랑해주는 그런 사람과 만나고 싶다.

정수빈	나는 나를 진심으로 사랑해 주는 사람과 연애를 하고 싶다. 물론 나도 마음에 드는 사람과 연애를 할 것이지만, 나를 존중해 주고 아껴 줬으면 좋겠다.
천유림	나는 아직까지는 연애 생각이 딱히 없는데 만약 한다고 해도 고등학생이나 성인이 되어서 하는 것이 나에게도 좋다고 생각한다.
최윤서	나랑 생각이 잘 맞고 서로를 생각해주는 사람과 연애를 하고 싶다.
홍채현	나는 나랑 친하고 같이 있어도 편한 사람과 연애할 것 같다.

★ 이 책의 저자들을 소개합니다 ★

김대현

나는 2011년에 태어나서 하버드어린이집을 졸업하고 인천으로 와서 송명초등학교 졸업을 앞두고 있다. 이번에 쓰는 책이 첫 작품이다. 나의 취미는 게임하고 사는 것이다.

노지민

나는 다른 지역에 있는 유치원을 졸업했고 지금은 송명초등학교에 다니는 학생이고 곧 있으면 중1이 되는 초등학생이다. 미래에 평범한 회사원이 될 거 같고 취미는 음악을 듣는 것과 게임을 하는 것이다.

박도현

나는 송도 국제유치원을 졸업해서 지금은 초등학교 6학년 졸업 직전이다. 나의 장래 희망은 프로그래머이고 취미는 영화 보기, 게임하기이다. 나의 이름은 박도현이다.

백승범

나는 송도 국제유치원을 졸업해서 지금 6학년이 거의 끝이다. 취미는 농구하는 것이다. 이름은 백승범이다.

백찬규

나는 2011년에 태어나서 하늘 땅 유치원을 졸업하고 송명 초등학교를 곧 졸업한다. 나의 장래 희망은 돈 많은 백수이다.

송준엽

나는 2011년에 태어나 송도 국제 유치원을 졸업해 이제 송명초등학교까지 졸업하게 된 송준엽이다.

윤준호

나는 예전 다른 지역 유치원을 졸업해 이 곳 송도로 온 윤준호이다. 현재는 초등학교 졸업 막바지에 다다랐다. 나는 여유있는 삶을 사는 것이 꿈이며 취미는 멍 때리는 것이다.

이승진

나는 송도국제유치원을 졸업했고 지금은 송명초등학교 6학년 막바지이다. 나는 꿈이 축구선수이고 취미는 레고, 종이접기이다. 나의 이름은 이승진이다.

이태현

나는 평범한 학생이고 지금은 송명초등학교 6학년 막바지에 있다. 나는 돈을 많이 벌어 행복한 가정과 삶이 나의 꿈이고 꼭 이룰 것이다. 나의 취미는 운동이고 그중 농구를 좋아한다. 나의 이름은 이태현이다.

정유민

나는 2011년에 태어나서 새싹유치원을 졸업했다. 이 책이 나의 첫 작품이다. 내 이름으로 나오는 책이 나오니 설레고 긴장된다.

정이현

나는 샤인유치원을 졸업하고 인천 송도로 이사와 3학년 때 송명초에 입학을 했다. 지금은 6학년 졸업을 앞두고 있다. 취미는 게임,농구이다.

한도율

2011년 서울에서 태어나 홍신유치원을 졸업하고 인천으로 와서 송명초등학교에 입학을 했다. 지금은 6학년 졸업을 앞두고 있다.

한태호

나는 유치원을 졸업하고 초등학교 졸업을 앞두고 있는 평범한 학생 한태호다. 나의 취미는 게임 하기 영화 보기 등등이다. 나는 꼭 돈을 많이 벌어 남은 인생을 행복하게 보낼 것이다.

강라희

나는 활초병설유치원을 졸업했고, 미국에서 살다가, 인천에 이사와서 살고있다. 지금은 송명초등학교 졸업을 앞두고 있다. 나의 취미는 만들기와 핸드폰 보기이다.

김도희

나는 2011에 태어났고, 송림동에 있는 솔빛 유치원에 졸업했다. 그리고 곧 송명초등학교를 졸업할 것이다. 그리고 피부과 의사가 되는 게 꿈이다.

김여경

나는 현재 평범한 학생이고 곧 송명초등학교를 졸업한다. 나는 이 책이 첫 번째 작품이고 내 꿈은 평범하게 살고 평범하게 일하는 회사원이다.

김재인

나는 현재 정말 평범 of 평범한 예비 중학생 김재인이다! 이 책은 나의 첫 작품으로, 나는 멋진 수의사가 되는 게 꿈이다.

김주은

나는 2011 8 22에 태어나서 글로벌레인보우유치원을 졸업했다. 나의 취미는 영화보기 노래듣기고 내 장래희망은 아직 안 정해졌다. 내 이름은 김주은이다.

박소민

나는 서구에서 태어나 7살 때 송도로 이사오게 되었다. 지금은 초등학교 졸업을 앞두고 있다. 나의 꿈은 없지만 꿈을 찾기 위해 다양한 경험을 하고 있다.

신민아

나는 광주에서 태어나 어린 시절을 보내고 지금은 인천 송도로 이사와 송명초를 다니고 있다. 6-6반에서 친구들과 시간을 보내며 이 책을 처음으로 쓰게 되었다. 앞으로 더 책을 써보고 싶다.

신서윤

나는 대구에서 태어나 인천송명초등학교 졸업을 앞두고 있다. 이제 중학교에 들어가야 하기에 공부라는 큰 부담도 있지만, 하루하루 재미있게 살아가고 있다.

신유이

나는 2011년에 태어나 송명초에 입학해 6학년이 된 지금 글을 쓰고 졸업을 앞두고 있다.

유아린

인천에서 태어나 인천송명초등학교를 졸업하기 전이다. <세계를 건너 너에게 갈게>, <5번레인>, <몬스터차일드>,<불량한 자전거 여행>의 독서 감상문을 썼다. 취미는 DIY 이다.

이지우

현재 나는 평범한 13세 학생으로 지금은 송명초등학교에서의 마지막 시간을 즐기고 있다. 송명 초등학교에서 마지막 학년에 이렇게 귀한 기회를 주신 선생님께 감사드리고 이번에 내는 책이 나의 첫 작품이다. 나는 아기자기하고 귀여운 것들을 만드는 것을 좋아한다.

정수빈

나는 평범한 초등학생 6학년으로, 졸업을 앞두고 있다. 이 책은 나의 첫 번째 책이고 인생의 목표이자 꿈은 의대에 가서 의사가 되는 것이다. 원래 수줍음이 많고, 부끄러움이 많았지만, 6학년이 되면서, 부쩍 당당해지고, 외향적인 ENFP가 되었다. 앞으로도 내가 하고 싶은 일들을 하며 나의 꿈을 이루고 싶다.

천유림

나는 그냥 평범한 학생 천유림이며 현재 송명초등학교 6학년 막바지다. 어릴 때부터 많은 사람 앞에서 공연을 해본 경험이 많아지게 되면서 음악에 대한 꿈을 키우게 되었고 나의 생각을 글로 표현하는 일을 좋아했다. 웃음이 많고 절대 방전되지 않는 에너지를 가지고 있지만 글을 쓸 때 만큼은 진지해지는 것 같다. 앞으로도 지금처럼 자유롭게 살 거다.

최윤서

나는 2011년생이고 지금은 송명 초등학교 6학년 졸업을 하기 직전에 있는 최윤서이다. 나의 꿈은 수학자이고, 나의 취미는 놀고 먹고 자는 것이다. 나는 앞으로도 지금처럼 행복하게 살아갈 것이다.

홍채현

나는 2011년 선양 국제 유치원을 졸업해서 송명초 졸업을 막바지에 둔 홍채현이고, 나의 취미는 자거나 친구들과 노는 것이다. 나의 꿈은 돈을 많이 벌어서 호강하면서 잘사는 것이다. 앞으로 나는 행복하게 살 것이다.